Николай Носов

ДНЕВНИК КОЛИ СИНИЦЫНА

Иллюстрации Ольги Чумаковой

Издание И.П. Носова

ЭКСМО
Москва

УДК 82-93
ББК 84(2Рос-Рус)6-4
    Н 84

Носов Н. Н.

Н 84   Дневник Коли Синицына / Николай Носов ; ил. Ольги Чумаковой. – М. : Эксмо, 2013. – 112 с. : ил. – (Книги – мои друзья).

УДК 82-93
ББК 84(2Рос-Рус)6-4

ISBN 978-5-699-59663-8

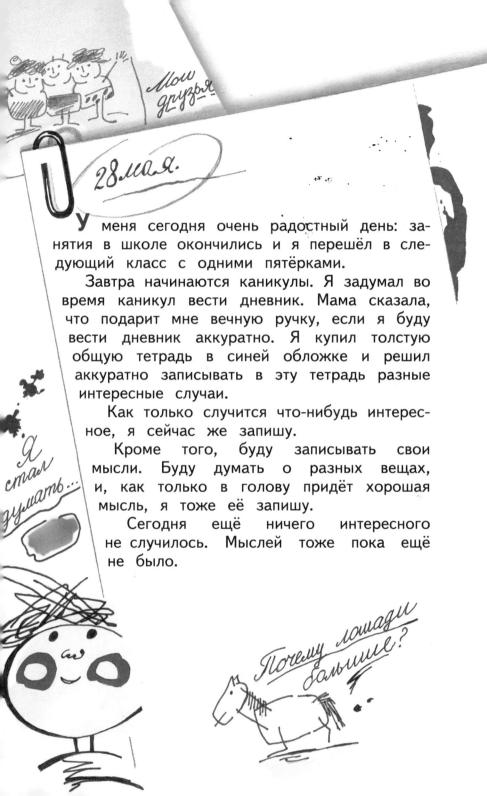

28 мая.

У меня сегодня очень радостный день: занятия в школе окончились и я перешёл в следующий класс с одними пятёрками.

Завтра начинаются каникулы. Я задумал во время каникул вести дневник. Мама сказала, что подарит мне вечную ручку, если я буду вести дневник аккуратно. Я купил толстую общую тетрадь в синей обложке и решил аккуратно записывать в эту тетрадь разные интересные случаи.

Как только случится что-нибудь интересное, я сейчас же запишу.

Кроме того, буду записывать свои мысли. Буду думать о разных вещах, и, как только в голову придёт хорошая мысль, я тоже её запишу.

Сегодня ещё ничего интересного не случилось. Мыслей тоже пока ещё не было.

29 мая

Сегодня тоже ещё ничего интересного не случилось.

Мыслей тоже никаких не было. Наверно, это потому, что я всё свободное время играл во дворе с ребятами и мне некогда было думать.

Ну ничего. Подожду до завтра. Может быть, завтра будет что-нибудь интересное.

30 мая

Сегодня опять ничего интересного не случилось. Мыслей тоже пока почему-то не было. Прямо не знаю, о чём писать! Может быть, мне просто выдумать что-нибудь да написать? Но это ведь не годится — в дневнике выдумки писать. Раз дневник, значит, нужно, чтобы всё была правда.

31 мая

Сегодня у нас был сбор звена. Наш звеньевой Юра Кусков сказал:

— Ребята, вот уже началось лето, и нас отпустили на каникулы. Некоторые из вас, может быть, думают, что летом ничего делать не надо, только гулять, но это неправильно. Пионеры даже на лето не прекращают своей работы, чтобы время не пропадало зря. Давайте придумаем на лето какую-нибудь интересную работу и будем делать её всем звеном.

Мы все задумались и стали придумывать на лето работу.

Сначала никто ничего не мог придумать, потом Витя Алмазов сказал:

— Ребята, у нас при школе есть опытный огород. Может быть, нам на огороде работать?

У меня какая-то
упрямая голова?
больше
всего
увеличивают
урожай пчёлы – они
разносят пыльцу
надо устраивать
пасеки!
Если бы
киты водились на суше
и ходили по улицам?

Юра говорит:

— Опоздали: уже эту работу второе звено захватило. Они уже посадили огурцы, и помидоры, и тыквы.

— Тогда давайте деревья в школьном саду сажать, — предложил Женя Шемякин.

— Спохватился! — говорит Юра. — Деревья надо ранней весной сажать. И к тому же у нас все деревья уже посажены. Больше сажать негде.

— Давайте всем звеном собирать почтовые марки, — сказал Федя Овсянников. — Я очень люблю собирать марки.

— Марки каждый может в отдельности собирать, а для звена это не работа, — ответил Юра.

— А то есть ещё такая работа: собирать конфетные бумажки, — сказал Гриша Якушкин.

— Ещё что выдумаешь! — ответил Павлик Грачёв. — Ты ещё скажешь — собирать спичечные коробки! Какая от этого польза? Надо такую работу, чтоб была польза.

Мы снова стали усиленно думать, но больше никому ничего в голову не приходило. Юра сказал, чтоб мы ещё поразмыслили дома, а потом соберёмся и обсудим, какие у кого будут предложения.

Дома я не сразу стал думать. Сначала я погулял во дворе с ребятами, потом пообедал, потом ещё немножечко погулял, потом поужинал и ещё чуточку погулял. Потом вернулся домой и стал писать дневник. Тут мама сказала, что уже пора спать, и только тогда

Почему лошади большие?

я вспомнил, что мне надо подумать о работе на лето. Я решил, что думать не обязательно нужно сидя. Думать можно и лёжа. Сейчас я разденусь, лягу в постель и начну думать.

1 июня

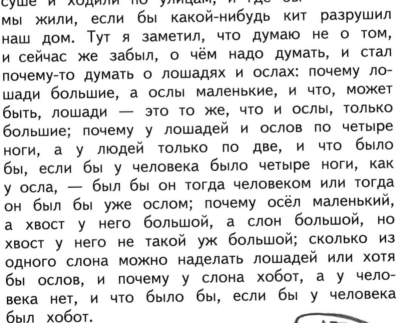

Вчера я лёг в постель и стал думать. Но вместо того, чтобы думать о работе, я стал почему-то размышлять о морях и океанах: о том, какие в морях водятся киты и акулы; почему киты такие большие, и что было бы, если бы киты водились на суше и ходили по улицам, и где бы мы жили, если бы какой-нибудь кит разрушил наш дом. Тут я заметил, что думаю не о том, и сейчас же забыл, о чём надо думать, и стал почему-то думать о лошадях и ослах: почему лошади большие, а ослы маленькие, и что, может быть, лошади — это то же, что и ослы, только большие; почему у лошадей и ослов по четыре ноги, а у людей только по две, и что было бы, если бы у человека было четыре ноги, как у осла, — был бы он тогда человеком или тогда он был бы уже ослом; почему осёл маленький, а хвост у него большой, а слон большой, но хвост у него не такой уж большой; сколько из одного слона можно наделать лошадей или хотя бы ослов, и почему у слона хобот, а у человека нет, и что было бы, если бы у человека был хобот.

Тут я снова заметил, что опять думаю не о том, и, сколько я ни пытался думать о деле, в голову лезла только одна чепуха. Оказывается, у меня какая-то упрямая голова: когда мне нужно думать об одном, она обязательно думает о другом. Я решил, что с такой головой лучше совсем не думать, и быстро заснул.

2 июня

Ура! Мама подарила мне вечную ручку! Вот теперь я буду писать этой ручкой. Только вот беда: ручка есть, а писать нечего! Целый час думал, о чём писать, и ничего не придумал.

Но я ведь не виноват, что никаких интересных приключений не было.

3 июня

Сегодня утром я вышел на улицу, смотрю — идёт Гриша Якушкин. Я спрашиваю его:

— Куда ты идёшь?

Он говорит:

— Я иду в школу на занятия кружка юннатов.

Я говорю:

— Возьми меня с собой.

Он говорит:

— Пойдём.

Пошли мы вместе и по дороге встретили Юру Кускова. Он тоже шёл на занятия кружка юннатов. Когда все юннаты собрались, наша учительница Нина Сергеевна, которая руководит кружком юннатов, повела нас в сад

и стала показывать, как устроены цветы растений. Оказывается, в цветке имеются тычинки с пыльцой, и вот если эта пыльца попадает с цветка на цветок, то из такого опылённого цветка образуется плод, а если пыльца на цветок не попадает, то из него никакого плода не получится. Разные насекомые садятся на цветы, пыльца прилипает к ним, и они её переносят с цветка на цветок. Значит, насекомые помогают увеличивать урожай, потому что если бы они пыльцы не переносили, то плодов бы не получалось.

Больше всего увеличивают урожай пчёлы, так как они собирают на цветах мёд и по целым дням летают с цветка на цветок. Поэтому везде надо устраивать пасеки.

После занятия кружка юннатов Юра собрал сбор звена и стал спрашивать, кто что придумал. Оказалось, что никто из ребят ничего не придумал. Юра велел, чтоб мы ещё хорошенько подумали, и уже хотел закрыть сбор звена, но тут Гриша Якушкин сказал:

— Давайте сделаем улей и будем разводить пчёл.

Мы все обрадовались. Нам понравилось это предложение.

— По-моему, это дело хорошее, — сказал Юра. — Пчёлы приносят большую пользу — они не только делают мёд, но и помогают увеличивать урожай.

пчёлы собирают на цветах мёд

— Ребята, — закричал Павлик Грачёв, — мы прославимся на всю школу! Давайте поставим улей в саду, и у нас при школе будет пасека. Всё звено наше прославится!

— Погоди, — сказал Юра, — сначала надо сделать улей, а потом уже можно думать о том, чтобы прославиться!

— А как сделать улей? — стали спрашивать все. — Мы ведь не знаем, как он устроен.

— Надо у Нины Сергеевны спросить. Она, наверно, знает, — ответил Юра.

Мы побежали в школу, увидели Нину Сергеевну и стали расспрашивать её про улей.

— А почему вы ульем интересуетесь? — спросила Нина Сергеевна.

Мы сказали, что хотим разводить пчёл.

— Где же вы пчёл возьмёте?

— Наловим, — сказал Серёжа.

— Как наловите?

— Руками. Как же ещё?

Нина Сергеевна стала смеяться:

— Если вы станете ловить пчёл по одной, то они не будут жить у вас, потому что пчёлы живут только большими семьями, и каждая пчела улетит из вашего улья обратно в свою семью.

— Как же делают, если кто-нибудь хочет завести пчёл? — спросили мы.

— Надо купить сразу целую пчелиную семью, или рой, — сказала Нина Сергеевна.

— А где они продаются?

— Можно по почте выписать.

— Как — по почте? — удивились мы.

— Нужно написать в какое-нибудь пчеловодное хозяйство, и оттуда могут прислать пчёл в посылке.

— А где есть такое пчеловодное хозяйство?

— Вот этого я не знаю, — сказала Нина Сергеевна. — Но я постараюсь узнать и скажу вам.

Нина Сергеевна рассказала нам, как устроен улей. Оказалось, что улей — очень простая вещь. Это как будто большая деревянная коробка или ящик с дырой. Если в такой ящик посадить пчёл, то пчёлы будут в нём жить, строить из воска соты и приносить мёд. Только соты они будут лепить прямо к стенкам ящика, и мёд будет трудно доставать оттуда. Для того чтобы мёд было легко доставать, пчеловоды придумали ставить в улей деревянные рамки с вощиной, то есть с тонкими листами воска.

Пчёлы строят соты на этой вощине, и, когда нужно достать мёд, пчеловод достаёт рамки с готовыми сотами.

Мы решили с завтрашнего дня взяться за постройку улья.

Толя Песоцкий сказал, что работать можно будет у него в сарае. Юра сказал, чтоб каждый из нас принёс какие у кого есть инструменты.

Потом я пошёл домой и стал думать о пчёлах. Вот какая интересная штука! Оказывается, пчёл можно посылать по почте. До чего только не додумаются люди!

4 июня

Утром всё наше звено собралось у Толи Песоцкого в сарае.

Витя Алмазов принёс пилу, Гриша Якушкин — топор, Юра Кусков — стамеску, клещи и молоток, Павлик Грачёв — рубанок и молоток, а я тоже принёс молоток, так что у нас оказалось сразу три молотка.

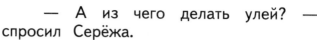

— А из чего делать улей? — спросил Серёжа.

Тут мы все вспомнили, что у нас нет досок.

— Вот беда! — сказал Юра. — Надо доски искать.

— Где же их искать? — говорим мы.

— Ну, надо посмотреть, может быть, у кого-нибудь в сарае найдутся.

Мы все пошли искать доски. Облазили все сараи и чердаки, нигде не нашли.

Юра говорит:

— Пойдём к Гале. Может быть, она нам поможет.

Мы пошли к нашей старшей пионервожатой Гале и рассказали ей обо всём.

Галя сказала:

— Я попрошу у директора школы. Может, он разрешит взять те доски, которые после ремонта остались.

Она поговорила с директором, и он разрешил нам взять для улья четыре большие доски. Мы приволокли их в сарай, и тут у нас закипела работа. Кто пилил, кто строгал, кто заколачивал гвозди. А Толя распоряжался и кричал на всех. Он воображает, что если мы работаем у него в сарае, то он может кричать на каждого. Я даже чуть не поссорился с ним из-за этого. Понадобился ему молоток, он и давай кричать:

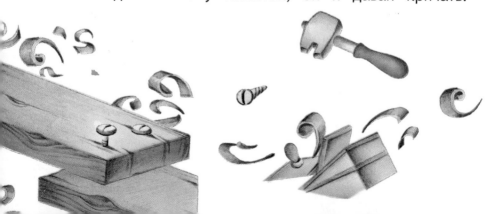

— Где молоток? Только что у меня в руках молоток был, а теперь вот куда-то делся.

— Постой, — говорит Юра, — я только что забивал гвоздь.

— Куда же ты молоток сунул?

— Да никуда я его не совал!

— Вот ищи теперь!

— И ты ищи.

Они принялись искать молоток, но его нигде не было.

Тогда все ребята бросили работу и стали искать молоток.

Наконец нашли его у меня в руках.

— Что же ты стоишь тут, как чучело! — напустился на меня Толя. — Не видишь разве, что мы молоток ищем?

— Откуда же я знаю, что вы этот молоток ищете? Кажется, у нас три молотка.

— «Три молотка»! «Три молотка»! Вот попробуй найди их, когда тут и одного не сыщешь!

— Ну и нечего тут кричать! — говорю я. — Я тоже имею право забивать гвозди. Всем работать хочется.

Сегодня мы ещё не успели сделать улей, потому что день кончился и в сарае стало темно.

5 июня

Ура! Улей уже готов! Вот он — я нарочно нарисовал его здесь на память. Внизу нарисован сам улей, а вверху — крыша. Снизу в передней стенке улья сделана дырка, чтобы пчёлы могли вылезать. Эта дыра называется летком, потому что пчёлы через неё вылетают из улья. Сверху имеется ещё один маленький леток, для того чтобы, если какой-нибудь пчеле захотелось вылезти сверху, она могла бы вылезти. Возле нижнего летка прибита доска. Она называется прилётной доской. Пчёлы на неё садятся, когда прилетают. Крыша сделана отдельно, чтоб её можно было снимать с улья, когда нужно доставать рамки. Кроме улья, мы сделали двенадцать рамок.

Юра ходил к Нине Сергеевне, чтоб спросить про пчёл, но Нина Сергеевна ещё ничего не узнала, потому что была очень занята. А вдруг Нина Сергеевна так и не узнает, где достать пчёл, что тогда делать?

6 июня

Сегодня спрашивал у всех, не знает ли кто-нибудь, где достать пчёл, но никто ничего не знает. Целое утро я ходил скучный.

Потом я вернулся домой, а к нам пришёл дядя Алёша.

— Почему ты такой скучный? — спрашивает дядя Алёша.

Я говорю:

— Я потому скучный, что не знаю, где достать пчёл.

— А зачем тебе пчёлы понадобились?

Я рассказал, что наше звено решило устроить пасеку, только мы не знаем, где взять пчёл.

Дядя Алёша сказал:

— Когда я жил в деревне, у меня был знакомый пчеловод, который ловил пчёл в лесу ловушкой.

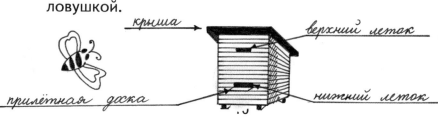

крыша   верхний леток

прилётная доска   нижний леток

— Какой ловушкой?

— Сделает из фанеры ящик с дырой, вроде скворечника, положит в него немного мёду и повесит в лесу на дереве. Пчёл привлекает запах мёда. Если откуда-нибудь вылетит рой, он может поселиться в таком ящике, а пчеловод возьмёт ящик, отнесёт к себе на пасеку и посадит

Пчёлы любят вылетать из верхнего летка

пчёл в улей. Вот сделай такую ловушку, а когда поедешь с мамой на дачу, повесь в лесу, может быть, в ловушку попадётся рой.

Я стал спрашивать маму, когда мы поедем на дачу.

— Не скоро, — говорит мама, — у меня отпуск в конце июля будет или, может быть, в августе.

Тогда я пошёл прямо к Серёже и рассказал ему про ловушку.

Серёжа говорит:

— Давай сделаем ловушку и будем ловить пчёл у нас на даче. У нас там есть и лес хороший, и река.

— А где ваша дача?

— В Шишигине, пять километров отсюда.

— А нам позволят там жить?

— Позволят. Там целый дом пустой. Одна тётя Поля живёт.

Я сейчас же вернулся домой и стал проситься у мамы к Серёже на дачу.

— Что ты, что ты! — говорит мама. — Как вы туда поедете? Ещё под поезд попадёте.

— Да туда вовсе не надо на поезде ехать. Это недалеко. Мы пешком дойдём. Всего пять километров.

— Ну, всё равно, — говорит мама. — Как вы там будете жить одни? Одно баловство!

— И никакого баловства нет, — говорю я. — И жить будем не одни: там тётя Поля.

— Что ж — тётя Поля! — говорит мама. — Разве вы станете слушаться тётю Полю?

— Конечно, станем.

— Нет, нет! — говорит мама. — Вот будет у меня отпуск, поедем вместе, а то вы там в реке утонете, и в лесу заблудитесь, и ещё я не знаю что будет.

Я сказал, что мы вовсе купаться не будем, даже подходить близко не будем к реке, и в лес не будем ходить, но мама даже слышать ничего не хотела об этом. До самого вечера я клянчил и хныкал. Мама пригрозила, что пожалуется на меня папе. Тогда я перестал проситься, но за ужином ничего не хотел есть. Так и спать лягу голодный. Ну и пусть!

7 июня

Утром я проснулся пораньше и снова стал тянуть вчерашнюю канитель. Мама сказала, чтоб я не надоедал ей, а я всё надоедал и надоедал, пока она не ушла на работу. Потом я пошёл к Серёже, и он сказал, что уже договорился с Павликом и завтра они вдвоём отправятся на дачу, если я не смогу отпроситься. Мне стало завидно, что Серёжа и Павлик отправятся без меня. Целый день я просидел скучный, и, как только мама вернулась, я принялся проситься с удвоенной силой. Мама рассердилась и снова сказала, что пожалуется папе, но я не унимался, потому что теперь мне было всё равно. Наконец папа пришёл, и мама пожаловалась ему. Папа сказал:

— Что ж тут такого? Пусть отправляется. Парень уже большой. Ему полезно приучаться самостоятельно жить.

Тогда мама сказала, что папа вечно мешает ей правильно воспитывать ребёнка (это меня то есть), а папа сказал, что мама сама неправильно воспитывает меня, и они тут чуть из-за этого не поссорились, а потом помирились, и тогда мама пошла к Серёжиной маме, и они сразу обо всём договорились. Серёжина мама сказала, что на даче мы никому не помешаем, что тётя Поля за нами присмотрит и будет варить нам обед. Нам только надо взять с собой продуктов. Мама успокоилась и сказала, что отпускает меня на три дня, а если я буду вести себя хорошо, то снова отпустит.

Я сказал, что буду вести себя хорошо.

Все ребята очень обрадовались, когда узнали, что мы отправляемся ловить пчёл на дачу. Юра подарил нам свой компас, чтоб мы не заблудились в лесу; Толя дал перочинный нож; Федя принёс нам походный котелок на случай, если мы сами захотим себе варить обед на костре. Потом мы достали фанеры и стали мастерить ловушку для пчёл.

Ловушка получилась хорошая. Спереди мы сделали дырку и дверцу, чтобы закрыть её, когда поймаются пчёлы. А крышу сделали, как в улье, отдельно, чтоб ловушку можно было открыть и достать пчёл.

К вечеру мама накупила разных продуктов — крупы, муки, масла, сахару, булок, консервов — и сложила всё это в рюкзак, так что рюкзак у меня получился тяжёлый. У Серёжи тоже получился большой рюкзак. Но самый огромный рюкзак у Павлика. Он положил в него котелок и фляжку, и ещё не знаю, чего он туда напихал. Словом, у нас всё готово. Теперь поскорей бы пришёл вечер, а завтра мы проснёмся — и сразу в поход в Шишигино.

Дом тёти Паши

8 ИЮНЯ

Ура! Мы уже в Шишигине. Я думал, какая там дача, а это, оказывается, просто деревянный дом, а вокруг деревья, даже забора нет, только столбы врыты. Должно быть, не успели сделать. Дом оказался на замке, и в нём никого нет. Тётя Поля куда-то ушла. Мы её ждали, ждали, а потом решили, чтоб не терять времени зря, пойти в лес и повесить ловушку. Пошли в лес, положили в ловушку мёду и повесили её на дерево. Потом отправились на реку купаться. Вода в реке была холодная. Мы купались, купались, пока не посинели от холода. Потом нам захотелось есть.

Мы вылезли из воды, разожгли на берегу костёр и стали варить обед из консервов. После обеда мы вернулись на дачу, но тётя Поля ещё не пришла. Павлик сказал:

— А что, если нам найти в лесу дупло с пчёлами? Мы сразу поймали бы целую пчелиную семью.

— Как же найти дупло? — говорю я.

— Давайте следить за какой-нибудь пчелой, — предложил Павлик. — Пчела наберёт мёду и полетит в своё дупло, а мы побежим за ней и узнаем, где живёт пчелиная семья.

Мы заметили на цветке пчелу и стали следить за ней. Пчела летала с цветка на цветок, а мы ползали за нею на четвереньках и не выпускали её из виду.

От ползания у меня заболели и руки, и ноги, и спина, и шея, а пчела всё работала и не думала никуда улетать.

Наконец Серёжа сказал:

— Наверно, пчёлы позже полетят к себе в дупло. Давайте пойдём ещё искупаемся, а потом снова будем следить за пчёлами.

Мы опять пошли на реку и стали купаться. Купались, купались, а потом увидели, что день уже скоро кончится. Тогда мы вернулись на дачу, а тёти Поли всё ещё не было.

— Может быть, она куда-нибудь уехала и не вернётся сегодня? — говорю я.

— Вернётся, — говорит Серёжа. — Куда она могла уехать?

— А вдруг не вернётся? Пойдём лучше домой.

— У меня и так уже ноги болят, — говорит Павлик. — Я никуда не пойду.

— Где же ты ночевать будешь?

— Можно пойти на соседнюю дачу и попроситься, чтобы пустили переночевать, — сказал Серёжа.

— Зачем на соседнюю дачу? — говорит Павлик. — Построим шалаш и переночуем здесь.

наше Шишигино

— Верно! — обрадовался Серёжа. — В шалаше даже интереснее. Я ни разу ещё в шалаше не ночевал.

Мы тут же взялись за постройку шалаша. Павлик велел нам наломать зелёных веток, а сам взял четыре шеста, поставил верхушками друг к другу, чтоб они стояли пирамидкой, и стал обкладывать вокруг ветками. Когда шалаш был готов, мы натаскали в него сухого мха, а под головы положили рюкзаки с продуктами. В шалаше получилось тесновато, но зато очень уютно.

Мы решили больше никуда не ходить, потому что очень устали. Подумать только, сколько мы сегодня ходили: из города шли, в лес ходили, на реку ходили, обратно с реки на дачу ходили, потом опять в лес, опять на реку, опять обратно на дачу. Потом ещё шалаш строили. Какой-нибудь нормальный, простой человек за месяц столько не ходит, сколько мы за один день!

Сейчас мы сидим на крылечке и отдыхаем. Я пишу дневник своей вечной ручкой, а Серёжа и Павлик любуются на шалаш. Вечер такой тихий, хороший! Ветра нет. Деревья ветками не машут. Только на осине листья дрожат мелкой дрожью. Они как будто серебряные. На небе ни облачка.

Красное солнышко заходит за лесом. Вот пастухи уже гонят колхозное стадо домой. Коровы не спеша шагают по дороге. Их много: штук пятьдесят, наверно. Чёрные, бурые, рыжие, пегие и даже какие-то розовые, вернее сказать — телесного цвета, а есть и пятнистые. Всякие есть! Вот солнышко уже наполовину спряталось. Сейчас мы залезем в шалаш и будем спать. Ещё, правда, светло, но скоро стемнеет. Не сидеть же до темноты под открытым небом, если у нас свой шалаш есть!

9 июня

Сейчас я запишу про то, что случилось ночью. Павлик оказался хитрый: он первый залез в шалаш и занял место посредине, а нам с Серёжей достались места по краям. Серёжа как лёг, так сейчас же заснул, но я почему-то долго не мог заснуть. Сначала мне было очень удобно, и я даже удивлялся, для чего люди придумывают разные тюфяки и подушки, когда и без этого можно прекрасно обойтись. Потом меня стало что-то давить в затылок.

Я решил узнать, на чём я лежу, на крупе или на макаронах, и стал щупать под головой рюкзак. Но там оказалась вовсе не крупа и не макароны, а котелок.

«Ага, значит, мне попался рюкзак Павлика», — сообразил я и перевернул рюкзак на другую сторону. Но теперь мне под голову попала консервная банка, и я снова не мог заснуть. Тогда я стал вертеть рюкзак в разные стороны, чтоб отыскать булку или что-нибудь другое, помягче...

— Что ты там ищешь? — спрашивает Павлик.

— Булку.

— Неужели так скоро проголодался?

— Да нет!

— Зачем же тебе булка понадобилась?

— Я буду на ней спать, а то твёрдо очень.

— Подумаешь, нежности! — говорит Павлик.

— Вот попробуй, поспи на консервной банке, так узнаешь, какие нежности, — говорю я.

Булки я так и не нашёл, но мне попался какой-то пакет, наверно с сахаром. Я кое-как пристроился на сахаре и уже хотел заснуть, но тут у меня стала болеть спина. Видно, я отлежал её. Тогда я стал переворачиваться на бок.

— Вот вертится, как уж на сковороде! — проворчал Павлик.

— А тебе что?

— Да ты меня всё время толкаешь!

— Подумаешь, уж и не толкни его!

Я перевернулся на бок, но скоро бок тоже начал болеть. Некоторое время я молча терпел и изо всех сил старался заснуть. Наконец я не выдержал и стал переворачиваться на живот.

— Да дашь ли ты мне в конце концов заснуть! — зашипел Павлик.

— Погоди, сейчас заснёшь, — сказал я и... зацепился ногой за шест.

Шест рухнул, и весь шалаш обвалился прямо на нас.

— Вот тебе! Довертелся! — закричал Павлик.

Серёжа проснулся, высунулся из-под ветвей и ошалело посмотрел вокруг.

— Что это ещё за шутки? — закричал он.

— Никакие не шутки! — говорит Павлик. — Просто этот вот бегемот обрушил шалаш! Ну, вставайте, что ли, починять будем.

Мы вылезли из-под обломков шалаша и в сумерках принялись восстанавливать разрушенную постройку.

Ночь приближалась быстро, и мы едва успели кое-как сделать шалаш. Как только всё было готово, я залез в него первым и лёг посредине.

— А ты почему на моё место забрался? — удивился Павлик.

— Здесь места ненумерованные, — говорю я. — Это тебе не театр.

Он хотел вытеснить меня, но я не уступил. Павлик лёг с краю и сердито засопел. Он долго ворочался. Видно, не очень удобно было лежать. Я тоже долго не мог заснуть. Всё-таки каким-то чудом я наконец заснул. Не знаю, долго ли я спал, и даже не помню, что мне снилось, только вдруг что-то как треснет меня по голове! Я моментально проснулся и долго не мог понять, что случилось. Постепенно я догадался, что шалаш снова обрушился и меня ударило по голове шестом. Вокруг было темно. Небо над нами чернело, как сажа, только звёзды сверкали на нём. Мы снова выкарабкались из-под обломков шалаша.

— Что ж, надо опять чинить, — говорит Серёжа.

— Починишь тут, когда такая темень!

— Надо попробовать. Не сидеть же нам под открытым небом.

Мы принялись ползать в темноте среди веток и разыскивать шесты. Три шеста мы сразу нашли, а четвёртый никак не находился.

Насилу мы его нашли, но, пока искали, потерялись те три шеста, которые уже были найдены. Наконец мы их снова нашли. Павлик хотел устанавливать шесты и вдруг говорит:

— Постойте, а где же наше место?

— Какое место?

— Ну, где наши рюкзаки.

Мы стали бродить в темноте и разыскивать рюкзаки, но их нигде не было. Тогда мы решили построить шалаш на новом месте. Павлик принялся устанавливать шесты, а мы с Серёжей стали обдирать кусты и носить ветки.

— Послушай, — закричал вдруг Серёжа, — иди-ка сюда — здесь много наломанных веток!

Я подошёл и наткнулся на целую кучу веток, которые ворохом лежали на земле. Мы притащили Павлику по охапке и вернулись за остальными ветками.

— Стой, — говорит Серёжа, — здесь ещё что-то лежит.

— Где?

— Вот под ветками. Какой-то вроде мешок.

Я нагнулся и нащупал в темноте мешок.

— Верно, — говорю. — Мешок, чем-то набитый. И ещё один тут.

— Правда! — ахнул Серёжа. — Два набитых мешка!

— А мы с тобой два набитых дурака, — говорю я.

— Почему?

— Потому что это наши рюкзаки. Смотри, вот ещё и третий.

— Верно! А я и не сообразил сразу!

Мы позвали Павлика и сказали, что нашли старое место.

— А там уже шалаш готов, — говорит он.

— Ну, перенесём туда наши вещи, и дело с концом.

Мы взяли рюкзаки и пошли к шалашу. Я поспешил первым, чтоб занять место посредине, и стал бродить вокруг шалаша, но никак не мог отыскать вход.

— Где же вход? — спрашиваю.

— Ах, чтоб тебя! — говорит Павлик. — Забыл вход сделать, со всех сторон ветками заложил!

Он принялся разбирать ветки и делать вход. Как только это было готово, Павлик юркнул в шалаш первым и занял место посредине. Я так устал, что не стал даже с ним спорить. Мы с Серёжей без разговоров улеглись по краям. Под голову мне опять попалось что-то твёрдое — не то котелок, не то консервная банка, — но я даже не обратил на это внимания и заснул как убитый. Вот и всё.

А сейчас уже утро. Я проснулся раньше всех и пишу дневник. Солнышко уже поднялось высоко и начинает припекать. По небу плывут белые кудрявые облака. Из деревни доносятся мычание коров и собачий лай. Серёжа и Павлик ещё спят в шалаше. Сейчас я их разбужу, и мы начнём варить завтрак.

В ТОТ ЖЕ ДЕНЬ ВЕЧЕРОМ

После завтрака мы пошли в лес, чтоб проверить ловушку. Ловушка была пустая. Мы решили снова следить за пчёлами и ползали за ними часа два. Наконец у Павлика терпение лопнуло. Он решил напугать пчелу, чтоб она полетела в своё дупло, и принялся кричать на неё, махать руками и топать ногами. Пчела стала кружиться над ним и вдруг как ужалит его в ухо! Павлик как завизжит! Ухо у него покраснело и моментально распухло. Мы стали вытаскивать у него пчелиное жало.

— Чтоб они сгорели, эти пчёлы! — ругался Павлик. — Можете сами с ними возиться, а с меня хватит! Всё ухо в огне!

— Ты потерпи, — говорим мы. — Ухо пройдёт.

— Когда же оно пройдёт! Горит как в огне! Что теперь делать?

— Может быть, платком завязать? — говорю я.

— Не надо платком. Лучше я пойду на реку и буду мочить ухо в воде.

Он ушёл мочить ухо в реке, а мы с Серёжей заметили одну пчелу и стали следить за ней по очереди. Один следит, а другой отдыхает. Следили, следили, вдруг пчела поднялась вверх и полетела. Мы стремглав побежали за ней, но пчела взлетела очень высоко, и мы потеряли её из виду.

— Вот досада! — сказал Серёжа. — Придётся начинать всё снова.

Тут Павлик вернулся с реки и закричал издали:

— Эй, смотрите, что у меня! Сейчас уху будем варить!

Мы подбежали. В руках он держал свою кепку. Она вся была мокрая, а в ней прыгали живые караси.

— Где ты взял?

— Там, возле реки, в болоте поймал.

— Как же ты их поймал без удочки?

— Очень просто: болото пересохло, воды совсем мало осталось, я их руками поймал.

Мы побежали к болоту, наловили ещё карасей и стали варить уху. Потом ещё на ужин наловили карасей.

— Тут их много! — говорил Павлик. — Мы хоть каждый день можем карасей есть.

После обеда мы снова пошли в лес, чтоб следить за пчёлами. Серёжа говорит:

— А что, если пчелу обрызгать водой? Пчела, наверно, подумает, что пошёл дождь, и полетит в своё гнездо.

Мы принесли в котелке воды, нашли на цветке пчелу и стали брызгать на неё водой. Пчела намокла, полезла по стебельку вниз и притаилась под зелёным листочком. Значит, ей на самом деле показалось, что пошёл дождь. Потом она увидела, что никакого дождя нет, вылезла из-под листа и стала греться на солнышке. Постепенно она обсохла, расправила крылышки и полетела. Мы уже хотели бежать за ней, но пчела тут же опустилась вниз, села на цветок и снова начала собирать мёд. Тогда Серёжа набрал в рот побольше воды и как брызнет на пчелу! Пчела снова намокла и спряталась под листком, а когда обсохла, опять принялась летать с цветка на цветок.

— Ах ты, какая упрямая пчела! — сказал Серёжа и окатил пчелу водой так, что она промокла насквозь. Даже

Подпись: Пчела.

Я всегда возвращаюсь в свою семью

крылышки у неё от воды сморщились и прилипли к спине.

Пчела наконец увидела, что «дождь» не перестаёт, и, когда обсохла, полетела прочь.

Мы побежали за ней. Пчела летела сначала низко, между стволами деревьев, потом взвилась вверх, и мы потеряли её. Тогда мы принялись поливать водой других пчёл, но у них у всех была одинаковая манера: сначала они прятались от «дождя» под листьями, а потом улетали, и мы

ни разу не могли проследить за ними, потому что они летали очень быстро и на большой высоте. Так мы бегали, пока пчёлы не перестали летать.

День уже подходил к концу. Мы вернулись на дачу и стали варить ужин. Тётя Поля до сих пор почему-то ещё не вернулась, и мы решили ещё одну ночь провести в шалаше. Не знаю, может быть, это нехорошо, что мы живём в шалаше? Может быть, лучше вернуться домой? Я сказал Серёже и Павлику, а они говорят: «Всё равно завтра вернёмся». Они решили починить шалаш и врыть шесты в землю, чтоб шалаш снова не развалился.

Сейчас они чинят шалаш, а я записываю в дневник наши приключения.

По небу плывут серые, свинцовые тучи. В воздухе стало прохладнее, и потянул ветерок. А вдруг ночью начнётся дождь? Надо шалаш хорошенько покрыть ветками, чтоб нас ночью не промочило. Сейчас кончу писать и пойду помогать Серёже и Павлику.

10 июня

Ночью никаких приключений не было. Вот что значит сделать шалаш как следует! Можно спать с чистой совестью и не бояться, что тебя стукнет по голове шестом. Дождя тоже не было. Проснулся я рано. Меня разбудили птички. Ещё только начало светать, а они уже проснулись и принялись трещать, и чирикать, и пищать на разные голоса. Я вылез из шалаша и увидел, что солнышко ещё не взошло. Вверху небо было чистое, голубое, а внизу, у самой земли, — белые облака, такие лёгкие, пушистые, будто мыльная пена. Постепенно облака росли и клубились, как пар, и взмывали всё выше и выше, пока не заполнили всё небо. Потом они загорелись и стали розовые, будто фруктовое мороженое. Я стал думать, что было бы, если бы нам дали столько мороженого: съели бы мы его или нет? Наверно, за всю жизнь бы не съели. Все люди не съели бы столько мороженого. Я замечтался и тут вдруг увидел, как из-под земли выкатилось огромное красное солнце. Всё засияло вокруг и осветилось ярким светом. Зелёная трава стала ещё зеленей, а на каждой травинке засверкали капли росы, как алмазы. Я поскорей принялся будить Серёжу и Павлика, чтоб они посмотрели на это чудо, но, пока они протирали глаза, роса испарилась и такой красоты уже не было.

— Эх вы, — говорю, — сони! Спят тут, как суслики у себя в норе! Если будете так спать долго, то ничего в жизни хорошего не увидите!

Павлик только зевнул и сейчас же принялся потрошить карасей на завтрак, но Серёжа сказал, что сначала надо было бы пойти умыться. Мы пошли на реку, умылись, а заодно и выкупались, а потом стали готовить завтрак. Нажарили карасей, напекли из муки лепёшек. Лепёшки оказались невкусными, но зато мне в голову пришла очень хорошая мысль.

— А что, если посыпать мукой пчелу? — говорю я. — Пчела станет тяжёлая и не сможет так быстро летать.

Мы нашли на цветке пчелу и обсыпали её мукой.

Пчела сейчас же принялась чиститься лапками. Стряхнула с себя всю муку и через минуту уже снова собирала мёд.

— Я знаю, что нужно сделать, — сказал Серёжа. — Нужно сначала обрызгать пчелу водой, а потом обсыпать мукой. Тогда мука прилипнет к пчеле, и она не сможет её с себя счистить.

Мы так и сделали. Серёжа набрал в рот воды и как брызнет на пчелу, а Павлик тут же посыпал её мукой. Мука раскисла и облепила пчелу со всех сторон. Пчела сейчас же принялась счищать с себя мокрую муку. Передними лапками она почистила головку и протёрла глазки, потом стала чистить задними лапками брюшко и крылышки. Она очень аккуратно почистилась, только на спине у неё осталось немного мокрой муки. Мы хотели её ещё раз обсыпать, но тут пчела замахала крылышками и полетела. Мы побежали за ней. Пчела летела сначала медленно, потом полетела быстрей, вылетела из леса и понеслась через поле. Мы не взвидя света мчались за ней, прыгали через пни и кочки, через рвы и канавы. Потом пошли какие-то грядки с капустой, и вдруг перед нами появился забор. Пчела перелетела через него. Мы недолго думая тоже перемахнули через забор и очутились в каком-то саду. Вокруг росли деревья, а под ними стояли какие-то маленькие домики без окон, без дверей, вроде собачьих будок, только на ножках. Возле одного домика стоял старик с белой бородкой и удивлённо смотрел на нас.

— Ну, что скажете? — спросил старичок, когда увидел, что мы, как истуканы, стоим без движения и молча на него смотрим.

— Ничего, — пролепетал Павлик и полез обратно через забор.

— Зачем же через забор? Вон ведь калитка, — сказал дедушка и укоризненно покачал головой.

— А я не заметил, что тут калитка, — ответил Павлик и спрыгнул с забора с другой стороны.

Мы с Серёжей остались одни. Я стал думать, как бы нам лучше удрать — в калитку или через забор, — а дедушка спросил:

— Вы зачем же полезли сюда?

— Мы нечаянно, — говорю я.

— Сюда полетела наша пчела, а мы за ней, — ответил Серёжа.

— Ваша пчела? — удивился старик. — Не может быть. Это, наверно, моя пчела.

— А разве у вас есть пчёлы? — спросил я.

— Конечно. Вон у меня сколько пчёл.

Тут только мы поняли, что маленькие домики, которые стояли под деревьями, были просто ульи. Пчёлы всё время гудели вокруг. В воздухе стоял непрерывный гул.

— Для чего же вам понадобилось за пчелой бегать? — спросил дедушка.

Мы сказали, что хотели проследить за пчелой и найти дупло с дикими пчёлами.

— Вы, наверно, хотели отыскать дикий мёд? — сказал старик.

— Нет, мы хотели найти пчелиную семью. Нам пчёлы нужны.

— Зачем же вам пчёлы?

Мы стали объяснять, что решили всем звеном сделать улей и разводить пчёл. Павлик увидел, что дедушка перестал сердиться и мирно беседует с нами. Он подбежал к калитке и стал заглядывать в неё, а потом совсем осмелел и подошёл к нам. Мы рассказали, как сделали ловушку для пчёл и повесили в лесу. Дедушка внимательно выслушал нас и сказал:

— Это вы хорошее затеяли дело. Пчеловодство — полезное занятие. Только поймать диких пчёл очень трудно. Да здесь поблизости их и нет. Разве с пчельника у кого слетит рой да попадёт в вашу ловушку.

— Что же нам делать? — спросили мы жалобно.

Дедушка, видно, сжалился над нами.

— Что ж, — сказал он, — я вам дам на развод пчёлок, раз вы так полюбили это дело. Пчеловоды должны выручать друг друга.

Сердце от радости запрыгало у меня в груди. Я думал, что дедушка сейчас же нам даст пчёл, но он сказал:

— Приходите к концу дня. У меня тут из одного улья должен рой выйти. Вот я и отдам этот рой вам. Только принесите с собой какой-нибудь ящик или коробку, чтобы посадить пчёл.

— Можно, мы принесём ловушку? — спросил я.

— Можно. Да не приходите слишком скоро. Часика через три-четыре приходите, когда начнёт спадать жара.

Мы побежали в лес, сняли ловушку с дерева и теперь ждём, когда можно будет идти к дедушке. Делать мне нечего, и я решил написать обо всём подробно, как следует.

Всё-таки, когда пишешь, время проходит незаметнее. Мы ещё подождём немного, а потом пойдём обратно к дедушке. Может быть, рой уже вылетел. А сейчас писать больше пока не о чем.

В ТОТ ЖЕ ДЕНЬ ВЕЧЕРОМ

Наконец-то у нас есть пчёлы! Вот какой добрый оказался дедушка! Я думал, что все пчеловоды бывают злые, потому что их часто кусают пчёлы, но этот пчеловод оказался вполне хороший и очень добрый. Он не только обещал нам дать пчёл, но и выполнил своё обещание.

Когда мы пришли на пасеку, рой уже сидел в круглой деревянной коробке вроде сита. Сверху коробка была затянута марлей, сквозь которую были видны пчёлы.

Батюшки, сколько там было пчёл! Прямо какая-то живая каша из пчёл.

Дедушка снял марлю и высыпал пчёл в нашу ловушку, как будто крупу. Мы поскорей закрыли ловушку и уже хотели бежать домой, но дедушка задержал нас и стал учить, как обращаться с пчёлами.

Он сказал, чтоб мы высыпали пчёл в улей прямо на рамки с вощиной и поставили на первое время в улей кормушку с сахарным сиропом, пока пчёлы не запасли для себя мёд. Для того чтобы сделать кормушку, нужно сварить из сахара сироп, налить его в стеклянную банку и завязать горлышко тряпочкой. Потом банку нужно перевернуть вверх дном и поставить в улей на рамки. Сироп будет просачиваться из банки, и пчёлы будут его понемногу сосать сквозь тряпочку.

Кроме того, дедушка научил нас сделать из марли сетки, чтоб надевать на голову, когда мы будем открывать улей, и ещё велел нам сделать дымарь, чтоб подкуривать пчёл дымом. Пчёлы боятся дыма. Они прячутся от него в улей и не разлетаются. Дедушка показал нам свой дымарь. Это такая круглая жестянка с носиком, а сбоку гармошка. В жестянку кладут гнилушки и разжигают. Если нажимать на гармошку, из носика идёт дым.

— Пчеловодство — очень интересное занятие, — сказал дедушка. — Кто начнёт заниматься пчеловодством, тот уж на всю жизнь пчёл полюбит и никогда не бросит этого дела.

— Почему? — удивились мы.

— Да так уж, без пчёл ему будет скучно.

Наконец дедушка отпустил нас, и мы отправились в обратный путь. Домой мы вернулись поздно, когда уже начало темнеть. Серёжа понёс ловушку с пчёлами к себе домой. Мы с Павликом забежали на минутку домой, чтоб сказать, что уже вернулись, и тоже побежали к Серёже.

Серёжина мама стала расспрашивать нас, как мы жили на даче. Мы боялись, как бы она не спросила про тётю Полю, потому что не знали, признаваться нам, что мы жили в шалаше, или лучше не признаваться. Серёжа нарочно стал рассказывать про дедушку-пчеловода. Мама слушала, слушала, а потом спрашивает:

Наказан!

— А как там тётя Поля поживает?

Мы увидели, что попались, и не знали, что говорить, но тут раздался стук в дверь. Это пришла мама Павлика и сказала, чтоб он шёл ужинать. Мы облегчённо вздохнули, стали показывать ей пчёл и рассказывать про дедушку-пчеловода. Тут Серёжина мама опять спросила:

— Что же ты ничего не рассказал про тётю Полю?

Мы опять растерялись, но тут снова кто-то постучался в дверь.

Это пришла за мной моя мама. Мы обрадовались. Стали показывать ей пчёл и рассказывать про дедушку.

Моя мама тоже стала спрашивать, как мы жили на даче.

Я говорю:

— Хорошо жили. Ничего себе.

— Не надоели там тёте Поле?

— Нет, кажется, не надоели, — говорю я, а сам не знаю, правду я говорю или нет.

— А к нам тётя Поля не собирается? — спросила Серёжина мама.

— Нет, — говорит Серёжа, — кажется, не собирается.

— Ничего не говорила про это?

— Нет, не говорила.

Это он, конечно, правду сказал, так как что могла говорить тётя Поля, раз мы её не видели! Не знаю, до чего дошёл бы этот разговор, но тут опять постучался кто-то. Мы облегчённо вздохнули. Дверь отворилась, и в комнату вошла сама тётя Поля. Мы разинули от удивления рты да так и остались с открытыми ртами.

— Здравствуйте! — сказала тётя Поля.

— Здравствуйте, — ответила Серёжина мама. — Какими судьбами к нам?

— Да вот из колхоза шла в город машина, я и приехала, — сказала тётя Поля.

Тут началось самое интересное. Тётя Поля протянула Серёже руку:

— Здравствуй, Серёженька!

Серёжа покраснел как варёный рак.

— Здравствуйте, тётя Поля.

— Постойте, как это — здравствуйте? — говорит Серёжина мама. — Разве вы сегодня не виделись?

— Где же мы могли видеться? — удивилась тётя Поля.

— Как — где? В Шишигине.

— Да я уж три дня как не была в Шишигине. Я в колхозе работала, в Тарасовке.

— А вы где были? — спросила Серёжина мама.

— Мы — в Шишигине, — говорит Серёжа.

— Так дом-то ведь был закрыт.

— А зачем нам дом? Мы в шалаше жили.

— В каком шалаше?

— Ну, построили из веток шалаш и жили.

— Ах, вот как! Кто же вам разрешил в шалаше жить? Разве вы не могли домой вернуться?

Тут заговорили все сразу — и моя мама, и Павлика, и Серёжина, — и я даже не знаю, что было дальше, потому что моя мама сказала:

— Так вот как ты слушаешься свою мать! Пойдём-ка, голубчик, домой! Я тебе покажу, как жить в шалаше без спросу!

Пришлось мне весь вечер просидеть дома и слушать упрёки. Даже на пчёл не удалось полюбоваться.

11 июня

Вот какая беда случилась сегодня. Утром я зашёл к Павлику, и мы вместе пошли к Серёже. Серёжа ещё спал. Мы разбудили его. Он проснулся нехотя и стал ворчать на нас, потому что ему снился какой-то интересный сон и ему хотелось досмотреть его.

— Ладно, — говорим, — потом досмотришь. Надо вставать да пчёл сажать в улей.

Серёжа говорит:

— Вы пойдите скажите ребятам, что мы уже достали пчёл, а я пока оденусь.

— А где же ловушка? — спрашиваем мы.

— Ловушка там, на балконе. Я её вчера вечером поставил на балкон, чтоб пчёлам не было в комнате душно.

Мы вышли на балкон. Смотрим... Батюшки, что творится! Дверца ловушки открыта, пчёлы из неё вылазят и разлетаются в разные стороны.

— Ах ты чучело! — закричал на Серёжу Павлик. — Спит себе, а тут пчёлы удрали!

Серёжа выскочил на балкон.

— Что же вы смотрите? — закричал он. — Пчёлы разлетаются, а они смотрят!

Он подбежал к ловушке и закрыл поскорей дверцу.

— Чего ты кричишь? — говорит Павлик. — Будто мы виноваты! Ты сам оставил ловушку открытой.

— Как это я вчера не заметил, что дверца открыта? — говорит Серёжа. — Почему же она открылась?

— Разиня! — говорю я.

— А я виноват? Это всё тётя Поля! Мне тут из-за неё головомойка была. Совсем не до пчёл было.

— Ну вот! А теперь там небось ни одной пчелы не осталось, — сказал Павлик. — Наверно, все разлетелись.

— Может быть, хоть немного осталось, — говорит Серёжа. — Надо посмотреть.

Я поскорей открыл крышку ловушки, и мы втроём стали заглядывать в неё. В ловушке оказалось ещё много пчёл. Они начали вылезать вверх. Павлик стал махать на них рукой, чтоб они залезли обратно. Одна пчела вылетела и села мне на руку. Я испугался, уронил крышку и стал трясти рукой, чтоб сбросить пчелу, а она как ужалит меня! Я как заору, как хлопну пчелу рукой и раздавил. Тут остальные пчёлы загудели, начали вылетать из ловушки и жалить нас. Павлик испугался — и бегом в комнату. Серёжа за ним. Одна пчела ужалила меня в шею, другая вцепилась в волосы. Я тоже побежал в комнату и принялся вытаскивать пчелу из волос, но она всё-таки успела меня ужалить в голову.

Пчёлы начали вылетать и больно жалить нас

Павлика две пчелы ужалили в шею и одна в губу. Серёжу одна пчела ужалила в нос, а другая в затылок.

Мы побежали на кухню и стали мочить укусы под краном. Боль жгла как калёным железом. Мы принялись вытаскивать друг у друга пчелиные жала. Возились, возились, насилу вытащили, но боль всё-таки не проходила.

— Это всё ты виноват! — кричал Серёжа на Павлика. — Размахался тут руками! Пчёлы не любят, когда на них руками машут.

— А ты потише кричи! — говорит Павлик. — Разве тебя одного ужалили? Меня тоже небось ужалили, да ещё в губу!

— А меня в нос ужалили. Знаешь, как больно!

— Подумаешь, в нос! Что тебе носом делать? А мне губой разговаривать надо.

— Можешь не разговаривать.

Они надулись и перестали спорить. Мы долго молча сидели на кухне, мочили в воде платки и прикладывали их к укусам. Вдруг Серёжа сказал:

— А ловушка открыта!

Мы побежали в комнату и стали заглядывать на балкон.

Ловушка была открыта. Над ней кружилось несколько пчёл, но скоро они улетели прочь. Мы вышли на балкон и заглянули в ловушку. Внутри было пусто.

— Все разлетелись! — сказал Серёжа.

— А может быть, они ещё прилетят обратно? — говорю я.

— Дожидайся! — ответил с досадой Павлик.

В это время на улице показались Толя и Юра. Они увидели нас на балконе и закричали:

— Эй! Вы уже вернулись?

— Вернулись.

— С пчёлами или без пчёл?

— С пчёлами.

Они быстро поднялись к нам.

— Где же пчёлы?

— А их уже нет, — говорим. — Улетели.

— Куда улетели?

— Ну, «куда, куда»! — рассердился Павлик. — Будто они нам сказали куда!

— Чего же ты сердишься? Разве нельзя рассказать спокойно!

Мы стали рассказывать про всё, что случилось: и как достали пчёл у дедушки, и как они улетели.

— Может быть, удастся достать ещё у этого дедушки? — говорит Юра.

— Что ты! — говорим мы. — И просить больше не станем. Он нам дал, а мы уберечь даже не сумели. Не даст он нам больше.

— Что ж делать?

— Подождём. Может быть, прилетят обратно.

Стали мы ждать.

Юра и Толя сидели, сидели, потом им надоело. Они ушли и рассказали всем ребятам о том, что случилось. Ребята один за другим приходили и расспрашивали нас. Нам даже надоело рассказывать каждому. У Серёжи нос красный, как клюква, и распух на одну сторону. У Павлика раздулась губа так, что он сам на себя не похож. А у меня на голове вскочила шишка, и шея тоже распухла.

Мы прождали до обеда, но ни одна пчела не вернулась обратно.

Пчёлы улетели...

— Наверно, они улетели к себе домой, на пасеку к дедушке, — сказал Серёжа.

— Скатертью дорожка! — говорит Павлик. — Если бы они и прилетели обратно, я всё равно не стал бы с ними возиться.

— А я, думаешь, стал бы? — говорит Серёжа. — Очень мне нужно, чтоб они меня жалили!

Я говорю:

— По-моему, это дело неинтересное: с ними возишься, возишься, а они тебя изжалят и улетят.

Тут прибежал Юра и закричал:

— Ребята, идите скорее, будем письмо писать!

— Какое письмо?

— Ну, письмо в пчеловодное хозяйство. Нина Сергеевна узнала адрес. Мы напишем письмо, и нам пришлют пчёл в посылке.

Павлик говорит:

— Можете писать сами: нас пчёлы теперь уже не интересуют.

— Почему не интересуют?

— Мы не хотим больше пчёлами заниматься. Мы решили это дело бросить.

— Как так? — говорит Юра. — Мы ведь всем звеном взялись за эту работу, а вы не хотите.

— Ну, мы будем какую-нибудь другую работу делать. Разве только эта работа на свете и есть?

Юра стал уговаривать нас, но мы твёрдо решили:

— Не хотим, вот и всё.

Так ему и не удалось уговорить нас. Мы теперь хитрые: будем что угодно делать, а с пчёлами пусть кто-нибудь другой возится.

12 июня

Утром я проснулся и насилу встал с постели.

Шея у меня распухла и болит так, что даже голова не вертится. Если хочется посмотреть в сторону, то приходится поворачиваться всем туловищем. И ещё шишка на голове болит. И рука болит.

Я пошёл к Павлику. Он сидит дома, а на шее у него компресс из ваты. Мы стали с ним вдвоём ругать пчёл за то, что они нас изжалили. Потом пришёл Серёжа с распухшим носом, и мы стали проклинать пчёл втроём.

Вдруг прибежал Гриша Якушкин:

— Ребята, пойдёмте пчеловодный инвентарь делать.

— Это какой такой инвентарь?

— Будем делать дымарь и сетки, чтоб не изжалили пчёлы.

— Нас и так не изжалят, — говорим мы, — мы это дело бросили.

Гриша стал уговаривать нас.

— Нет, — сказали мы. — Пчеловодство нам уже надоело. Мы уже попробовали, а теперь вы сами попробуйте.

— Ну что ж, и попробуем.

— И тоже бросите.

— Не бросим. Мы не такие, как вы!

— А вот увидим.

Гриша обиделся и ушёл.

Ну и ладно. Вот изжалят их пчёлы, тогда перестанут храбриться.

13 июня

Сегодня шея уже не так болит. Головой можно вертеть, только не очень быстро. Если быстро вертеть, то ещё немного болит. У Павлика шея тоже ещё болит.

Приходил Гриша и показывал, какой они сделали дымарь. Напустил полную комнату дыму и ушёл. Подумаешь! Будто мы дыму не видели!

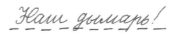

Наш дымарь!

14 июня

Сегодня шея уже совсем не болит. И шишка на голове не болит. Да и шишки никакой нет. Уже прошла шишка, и голова тоже хорошо вертится. Даже махать могу головой. Только зачем мне махать головой? Я ведь не лошадь, чтоб головой махать. Больше ничего интересного не было.

15 июня

Утром мы с Павликом пришли к Серёже и стали играть в шашки. Я выиграл у Серёжи два раза, а у Павлика только раз, а Павлик у меня выиграл три раза, а у Серёжи ни разу, у меня Серёжа тоже выиграл два раза. Вдруг прибежали Женя и Юра:

— Ребята, идите скорее! Пчёлы приехали!

— Откуда?

— Ну, посылка пришла. Целый ящик, а в нём пчёл видимо-невидимо! Так и кишат! И ещё там две рамки с готовыми сотами. Идите скорее, будем пчёл в улей сажать. Очень интересно!

Мы вскочили и хотели бежать.

ПОСЫЛКА!

МОСКВА

— А! — обрадовался Юра. — Говорили, что вас пчёлы не интересуют, а теперь самим интересно!

— И ничуточки не интересно, — говорим мы. — Будто мы пчёл не видели!

— Видали, да не таких. Наши пчёлы хорошие!

— Ну и целуйтесь с ними, если такие хорошие!

— И будем целоваться. А вы ещё придёте к нам.

Юра и Женя ушли.

Я говорю:

— Интересно пойти взглянуть, какие это у них там пчёлы.

— Не надо, — говорит Павлик. — Все скажут, что у нас никакой твёрдости нет.

— Почему?

— Потому что теперь ребята подумают, будто мы испугались трудностей и бросили дело, а когда за нас другие добились, мы тоже пришли. Раз мы твёрдо решили бросить, то нужно быть твёрдыми.

— Правильно, — говорит Серёжа. — Мы всем докажем, что у нас есть твёрдость.

Вечером я пошёл домой и стал думать о пчёлах. Всё-таки пчёлы, по-моему, не такие уж плохие. Они честно работают и носят в свой улей мёд. И очень дружно живут.

Я ни разу не видел, чтоб две пчелы подрались между собой.

16 июня

С утра мы сидели у Павлика и играли в шашки. Потом мне надоело играть, и я пошёл домой. Дома я опять думал о пчёлах. Почему они жалят — от злости или просто так? По-моему, всё-таки не от злости.

Пчёлы защищаются жалами от своих врагов. Если кто-нибудь нападёт на улей, то они его жалят. Они даже медведя изжалят, если он полезет к ним в улей за мёдом.

И правильно сделают. Ведь они для себя запасают мёд, а не для медведей. А людей они жалят, должно быть, по ошибке.

Пчёлы ведь не знают, что люди не хотят им сделать зла. Откуда им это знать!

Хотя люди тоже забирают у пчёл мёд. Но люди ведь забирают не весь мёд. Сколько нужно, столько и забирают, а за это люди заботятся о пчёлах, делают для них ульи, прячут на зиму в хорошие тёплые зимовники.

Если бы люди не заботились о пчёлах, то пчёлам было бы гораздо хуже. Жили бы они только в дуплах или в каких-нибудь щёлках, а теперь они живут в красивых ульях, и, когда им нечего есть, люди даже подкармливают их сахарным сиропом.

Поэтому пчёлам не нужно обижаться на людей, а людям не нужно обижаться на пчёл, если пчёлы их жалят.

Чтобы пчёлы не жалили, нужно надевать сетки и подкуривать пчёл дымом.

Вот и всё будет хорошо! А мы полезли к пчёлам без сеток, за что и были наказаны.

17 июня

Сегодня Павлик сделал из бумаги голубя и стал пускать по комнате. А Серёжа сделал голубя и пустил его с балкона прямо на улицу. Голубь кувыркался в воздухе, кувыркался и упал прямо посреди мостовой.

Мы все трое стали мастерить голубей и пускать с балкона. У меня один голубь перелетел через улицу и упал на крышу дома напротив. А у Серёжи голубь упал на автомобиль, который ехал по улице, и уехал на этом автомобиле. Потом мне стало скучно, и я пошёл домой. Дома на меня почему-то напала тоска. Вот я сижу и хандрю, и ничего делать не хочется.

18 июня

Опять делали голубей и пускали с балкона, только это нам быстро надоело. Мы стали играть в шашки, но шашки тоже быстро надоели. Тогда мы стали играть в другие разные игры, но они тоже нам все надоели.

Серёжа сказал, что ему скучно, и ушёл домой. Мне тоже уже не хотелось играть. Я пошёл домой, и снова на меня напала тоска. Я стал думать, что такое тоска и откуда она берётся. Может быть, тоска — это

скука? Нет, по-моему, тоска не скука. Если скучно, то можно поиграть во что-нибудь, и скука пройдёт, а если у человека тоска, то ему даже играть не хочется.

По-моему, тоска нападает от безделья. Когда делаешь какое-нибудь полезное дело, то никогда не бывает тоски. А когда целый день бездельничаешь или занимаешься какой-нибудь чепухой, то потом становится досадно, что потерял время зря. По-моему, тоска — это досадная скука. Вот это что такое!

19 июня

Павлик с утра хандрил и не хотел ни во что играть. После обеда он куда-то пропал. Мы с Серёжей обыскали весь двор, облазили все чердаки, сараи — нигде не нашли. Тогда мы решили, что он пошёл к кому-нибудь из ребят, и перестали его искать. Потом нам стало скучно.

— Если бы мы работали вместе со всеми ребятами на пасеке, нам не было бы скучно, — сказал Серёжа.

Я говорю:

— Давай, пока Павлика нет, пойдём и посмотрим на пчёл.

Серёжа обрадовался:

— Пойдём скорей, пока не вернулся Павлик, а то он скажет, что у нас не хватило твёрдости.

Мы поскорей пошли в школьный сад и ещё издали увидели улей. Возле улья сидела какая-то фигура и пялила глаза на пчёл. Мы подошли ближе и увидели, что эта фигура был Павлик.

— А, — закричали мы, — так вот какая у тебя твёрдость! Нам сказал, что не нужно интересоваться пчёлами, а сам сидишь тут и интересуешься! Разве так товарищи поступают?

Павлику стало стыдно.

— Я, — говорит, — нечаянно сюда зашёл. Шёл, шёл и зашёл.

— Сказки! — говорим мы. — Просто захотел на пчёл посмотреть!

— Честное слово, ребята! Зачем мне на них смотреть? Совсем незачем!

— Зачем же ты смотришь, если незачем?

— А вы сами чего пришли?

— А мы тоже шли, шли и зашли. Видим — ты тут сидишь, ну и зашли на тебя посмотреть.

— Врёте! У вас, наверно, твёрдости не хватило, вот вы и пришли на пчёл посмотреть.

— У нас, — говорим, — твёрдости больше, чем у тебя: ты первый пришёл.

Мы стали спорить, у кого больше твёрдости — у нас или у него. Тут послышались шаги. Мы обернулись и увидели Юру. Он услышал, о чём мы спорили, и говорит:

— У вас у троих нет никакой твёрдости.

— Почему?

— Потому что вы начали работать и бросили на полпути. У кого есть твёрдость, тот не бросает работы, несмотря ни на какие трудности.

Мы стали смотреть на пчёл...

— А мы и не бросили, — говорит Павлик. — Мы просто отдохнуть хотели немножко, а теперь снова будем работать.

— Вот и хорошо! — говорит Юра. — Вы себе сделайте сетки и приходите. Будете работать со всем звеном. А сейчас уходите, чтобы пчёлы не изжалили.

— Мы немножко посмотрим и уйдём, — сказал Павлик.

Мы потихоньку присели возле улья и стали смотреть на пчёл. Они выползали одна за другой из летка и улетали за мёдом. Другие пчёлы, наоборот, откуда-то прилетали и заползали в улей. Возле летка всё время толпились пчёлы. Вот и ожил наш улей! На него было радостно смотреть. Потом мы пошли домой, достали марли и проволоки и стали делать сетки. С этим делом мы возились до вечера, и сетки у нас получились хорошие. И никакой скуки не было.

20 июня

Вот сегодня какой счастливый день! Наше звено в полном составе собралось с утра на пасеке. Все ребята принесли сетки, а Юра принёс дымарь. Мы насобирали в саду гнилушек и положили в дымарь. Юра разжёг их и начал раздувать. Дымарь работал исправно.

Мы открыли улей и заглянули внутрь. Батюшки, сколько там было пчёл! Они вплотную друг к дружке сидели на рамках.

Некоторые пчёлы стали вылезать на рамки вверх, но Юра сейчас же стал пускать на них дым, и они спрятались обратно.

Потом Толя вынул одну рамку из улья. И вот тут-то мы увидели, как пчёлы строили соты. Они делали из воска такие длинные шестиугольные трубочки и лепили их одну рядом с другой, так что получались сплошные ряды трубочек, или ячеек.

Мы поскорей поставили рамку на место, чтоб не мешать пчёлам работать.

Удивительные насекомые пчёлы — как они ловко умеют строить соты! Глядя на соты, просто не верится, что их делают обыкновенные пчёлы, до того эти соты правильные и красивые. Конечно, многие другие животные тоже очень умные, например собаки. Но никакая собака не смогла бы сделать такие соты!

Сегодня нас будут фотографировать, ура!

21 июня

Сегодня к нам на пасеку пришла Галя и принесла фотоаппарат. Она сказала, что снимет нас вместе с ульем. Все ребята выстроились позади улья, только нам с Серёжей и Павликом не досталось места. Мы стали позади ребят, но там нас не было видно. Тогда мы уселись впереди улья. Галя навела аппарат, щёлкнула — и готово!

Занятное дело фотография! Щёлкнут тебя, а потом — в проявитель. Я раз видел, как проявляют карточки. Болтают, болтают, сначала ничего нет, а потом — батюшки, человек лезет! Интересно, какая получится карточка. Только я очень боюсь, что выйду безглазый, потому что моргнул, когда Галя щёлкнула аппаратом.

У меня уже был такой случай: нас снимали всем классом, а я моргнул, вот и получился на карточке с закрытыми глазами, как будто сплю сидя. Меня тогда все ребята ругали: «Эх ты, тетеря сонная! Всю карточку испортил!» Будто я виноват!

22 июня

Вот какая досада! Ещё не готова карточка! Галя говорит, плёнка ещё не просохла. Мы стали спрашивать, хорошо ли мы получились. Она говорит:

— Вот завтра сделаю карточку, увидим.

Я очень волнуюсь: слепой я или с глазами? И как это меня угораздило моргнуть в такое время!

Скорее бы завтра пришло!

23 июня

Карточка готова! Все ребята хорошо получились, только я вышел с открытым ртом. Не понимаю, как это меня угораздило раскрыть рот! Всё хорошо, и глаза есть, а рот раскрыт.

Ребята снова бранят меня:

— Зачем тебе понадобилось рот разевать?

— Я нечаянно.

— «Нечаянно»! Ты бы ещё язык высунул!

— А вам-то что? Ведь вы хорошо получились.

— Мы-то хорошо, а ты весь вид портишь.

— Чем же я его порчу?

— Да сидишь тут с разинутым ртом, как акула!

Тогда я стал просить Галю:

— Галя, нельзя ли мне чем-нибудь рот замазать?

— Чем же его замазать? — говорит Галя. — По-моему, ты хорошо получился. Очень похож.

— Да, — говорю я, — похож! Разве я такой? Я красивый.

— Ну, ты и здесь очень красивый.

Пчёлы стали прилетать и пить воду...

— И совсем не красивый. Здесь у меня какой-то глуповатый вид получился.

— Вовсе не глуповатый. Просто рот чуточку приоткрыт, потому что ты улыбаешься, а вид нормальный. Очень даже умный вид.

Это Галя, наверно, нарочно сказала, чтоб меня утешить. А может быть, у меня на самом деле умный вид, только мне самому незаметно? Не знаю... Только на карточках я почему-то всегда получаюсь плохо. В жизни-то я очень красивый, а как только снимусь, обязательно не такой. Вот и на этой карточке. Рот ладно уж, это я сам виноват, а нос почему такой? Разве у меня такой нос? У меня нос хороший, а здесь он задирается кверху, вроде запятой. А уши? Разве у меня уши торчат, как самоварные ручки? Ну ничего. Всё-таки я немного похож. Можно узнать, что это я снят, а не кто-нибудь другой. Какое-то сходство есть.

Главное — улей хорошо вышел. И мы с Серёжей и Павликом впереди всех, на самом виду.

Когда мы пошли домой, Серёжа сказал:

— И зачем мы вперёд вылезли? Даже неудобно как-то! Можно подумать, что мы самые главные в этом деле.

— Да, — говорит Павлик, — дела не сделали, даже бросили, а когда и без нас всё вышло, так мы вперёд лезем. Теперь все про нас будут думать, что мы хвастуны.

Дома я думал о хвастовстве. Что такое хвастовство? Почему люди хвастают? Вот, например, некоторые воображают, что они очень хорошие, и всем твердят, какие они хорошие. А зачем об этом твердить? Если ты хороший, то и без слов видно, что ты хороший, а если ты нехороший, то, сколько ни тверди, всё равно тебе не поверят.

А то есть ещё такие люди, которые воображают, что они очень красивые, и всем об этом рассказывают. А чего об этом говорить, если и так видно, красивый ты или некрасивый.

А то ещё попадаются такие люди, которые воображают, что они страшно умные, и вот они болтают, болтают, даже о том говорят, чего сами не понимают. И вот тут-то все видят, умные они или неумные.

По-моему, хвастовство — это просто глупость. Глупому всегда почему-то кажется, что он лучше других, а умный понимает, что другие ещё, может быть, лучше его, значит, и хвастаться нечем.

24 июня

Сегодня Нина Сергеевна научила нас сделать поилку для пчёл.

Нужно взять бочонок, налить в него воды и устроить затычку так, чтоб вода сочилась по капле. Снизу под бочонком нужно поставить наклонно дощечку. Вода будет растекаться по дощечке, и пчёлы будут пить прямо с неё.

Мы стали думать, где взять бочонок. Гриша сказал, что у них на чердаке есть старая бочка. Мы пошли к нему. Он попросил у мамы разрешения взять бочку. Мама позволила.

Бочка была тяжёлая. Мы насилу стащили её с чердака и покатили по улице. Вдруг Федя навстречу:

— Вы куда бочку тащите?

— На пасеку. Будем делать поилку для пчёл.

— С ума сошли! Куда им столько воды?

— Ничего, — говорит Юра. — Выпьют.

Мы приволокли бочку на пасеку и стали таскать в неё воду, а бочка рассохлась, и вся вода из неё выливалась, как сквозь решето. Мы уже думали, что придётся её выбросить, но Галя сказала:

— Надо хорошенько размочить бочку. Когда клёпки разбухнут, она перестанет течь.

Мы снова принялись таскать воду.

Сколько воды мы в эту бочку влили! Вёдер сто или, наверно, двести. Сначала вода выливалась сквозь щели, но постепенно бочка разбухала и к вечеру уже была наполовину с водой.

Завтра будем снова воду таскать.

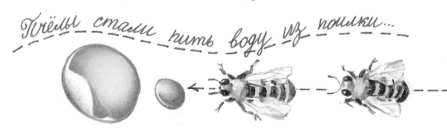

Пчёлы стали пить воду из поилки...

25 июня

За ночь бочка забухла и совсем перестала течь. Мы наносили в неё воды доверху, а потом пришлось всю эту воду вылить, потому что бочка стояла на земле, а её нужно было поставить на подставку, повыше. Мы вылили воду, вбили в землю четыре столбика, поставили на них бочку и снова натаскали в неё воды. Потом устроили затычку так, чтоб вода капала на дощечку.

Скоро на дощечку села пчела и стала тыкать своим хоботком в воду, которая растекалась по доске. Через некоторое время и другие пчёлы проведали, что для них здесь поилка устроена. Они стали прилетать и пить воду. А мы смотрели на них и радовались.

Потом у нас был сбор отряда. Галя рассказала о работе нашего звена. Весь отряд заинтересовался нашей работой, а ребята из второго звена сказали, что бросят на огороде работать и присоединятся к нам.

— А вот это уж не годится, — сказала Галя. — Кто же будет на опытном огороде работать?

— Ну, мы будем и на огороде работать, и будем приходить на пасеку изучать пчёл, — сказали ребята.

— Это дело другое! — сказала Галя. — Приходите, пожалуйста, только и своего дела не оставляйте. Добивайтесь, чтоб был большой урожай.

26 июня

Сегодня мы следили, куда летают наши пчёлы за мёдом. Оказывается, они летают на опытный огород.

Там уже зацвели огурцы, кабачки и тыквы. Все грядки усеяны жёлтенькими цветами. Пчёлы всё время жужжат вокруг. Они летают низко над землёй и залезают в чашечки цветов.

Одна пчела залезла в цветок тыквы и так извалялась в пыльце, что стала вся жёлтая. Другие пчёлы летают куда-то через улицу, но за ними нельзя проследить, потому что они летают высоко над домами. Должно быть, они летают в парк.

27 июня

Юра принёс в стакане немного мёду и решил угостить пчёл. Он налил мёду на стёклышко и положил его недалеко от улья. Пчёлы летали мимо и не замечали, что на земле лежит для них угощение. Тогда Женя поймал одну пчелу стаканом и осторожно перенёс её в стакане прямо на стёклышко с мёдом. Пчела увидела мёд и начала его есть. Мы стали следить за ней. Пчела наелась мёду и полетела обратно в улей. Через некоторое время из улья вылезла другая пчела, подлетела к мёду и стала есть. Наевшись, она улетела, а минуточки через две из улья снова вылетела пчела и полетела прямо к стёклышку с мёдом, как будто она заранее знала, что там приготовлен для неё мёд. Мы удивились: откуда она знает, что на стёклышке мёд?

— Наверно, ей рассказала та пчела, которую Женя поймал стаканом, — говорю я.

Все стали надо мной смеяться:

— Разве пчёлы могут между собой разговаривать?

— Что же, по-вашему, пчела сама догадалась, что здесь лежит мёд?

— А может, она и не догадалась, просто летела мимо и увидела мёд.

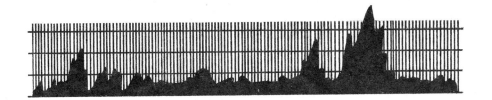

Когда пчела улетела, Федя сказал:

— А что, если спрятать мёд?

Мы поскорей взяли стёклышко с мёдом и спрятали. Вдруг из летка вылезла пчела и полетела прямо к тому месту, где раньше лежал мёд. Она увидела, что мёд куда-то исчез, и принялась жужжать и кружиться над этим местом. Тут уж все убедились, что пчела знала про мёд. Значит, ей кто-то сказал! Она долго кружилась и не хотела никуда улетать. Тогда мы положили стёклышко с мёдом на прежнее место. Пчела быстро нашла мёд, наелась и улетела. Мы взяли стёклышко, положили его шага на два в сторону и стали следить. Следующая пчела вылезла из улья и полетела не туда, где теперь лежало стёклышко, а на старое место. Она даже как будто удивилась, когда не нашла мёд, и долго кружилась в воздухе, пока не нашла стёклышко с мёдом на новом месте. Зато следующая пчела полетела сразу на новое место.

— Ага! — обрадовался я. — Значит, ей уже сообщили, что мёд на новом месте лежит.

Мы следили за пчёлами до конца дня. Каждый раз, когда мы перекладывали мёд на новое место, пчёлы не могли его сразу найти; если же мёд оставался на старом месте, пчёлы быстро находили его. В конце концов всем стало ясно, что пчёлы разговаривают между собой.

Вечером я пошёл домой и стал думать, как пчёлы разговаривают. Если они разговаривают,

Так пчёлы говорят между собой!

как люди, то у них должен быть во рту язык. Только разве разглядишь у них во рту язык? Они ведь маленькие. А потом я подумал, что если пчёлы разговаривают, то у них должны быть уши, потому что как же ты услышишь, о чём говорят, если безухий?

Завтра обязательно посмотрю, есть ли у пчёл уши.

28 июня

У пчёл ушей нет. Я очень внимательно рассматривал пчелу, но никаких ушей не заметил.

По-моему, пчёлы совсем ничего не слышат. Я нарочно кричал на пчёл, но они не обращали на мои крики никакого внимания.

Сегодня к нам на пасеку пришла Нина Сергеевна. Мы рассказали ей о наших опытах с пчёлами. Нина Сергеевна тоже захотела посмотреть. Мы поймали пчелу и посадили на стёклышко с мёдом. Пчела поела мёду и улетела в улей, а через несколько минут из улья снова вылетела пчела и полетела прямо к мёду.

— Вот видите! — обрадовались мы. — Значит, она узнала от первой пчелы, что здесь лежит мёд.

— А ну-ка, давайте пометим эту пчелу, — сказала Нина Сергеевна.

Мы не поняли, как это пометить пчелу. Нина Сергеевна объяснила, что нужно взять немножечко краски и поставить на спине пчелы отметку. Толя быстро сбегал домой и принёс краски и кисточку.

Как только к мёду прилетела пчела, он быстро мазнул её по спине белой краской. Пчела так увлеклась мёдом, что даже не заметила, как её покрасили. Она только тогда улетела, когда наелась как следует мёду. Мы стали ждать, что будет дальше. Вдруг, смотрим, из улья опять вылезает эта же самая пчела с белой отметинкой и летит прямо к мёду. Мы подумали, что она ещё не наелась как следует, и стали смотреть, как она ест. Наконец она наелась и снова полетела в улей. Через несколько минут она прилетела снова и опять стала есть мёд.

— Куда она столько ест? Ведь она в конце концов лопнет от жадности!

— Она вовсе не ест, — объяснила Нина Сергеевна. — Она набирает в хоботок мёду, относит его в улей и складывает в соты. Пчёлы всегда так поступают. Если какая-нибудь пчела найдёт мёд, она сейчас же начнёт переносить его в свой улей.

Мы стали следить за нашей пчелой с белой отметинкой и увидели, что она то и дело подлетает к стёклышку и, набрав мёду, улетает в улей.

Тут нам стало понятно, что и вчера на наше стёклышко с мёдом летала только одна пчела, а мы подумали, что это всё разные.

— Значит, пчёлы вовсе не разговаривают друг с другом? — спросили мы.

— Разговаривать, как люди, пчёлы, конечно, не могут, — сказала Нина Сергеевна, — но всё-таки пчёлы могут кое-что сообщить друг другу. У них есть свой пчелиный язык. Вот вы понаблюдайте за ними, может быть, вам удастся подметить, как они это делают.

29 июня

Сегодня мы решили исследовать, найдёт ли пчела дорогу к себе домой, если её занести куда-нибудь далеко от улья.

Я поймал стаканом одну пчелу, а снизу под стакан подсунул кусочек картона, чтобы пчела не могла улететь.

Теперь нужно было пометить пчелу краской и занести куда-нибудь далеко. Я сказал ребятам, что отнесу пчелу домой, помечу её там и выпущу с балкона.

Ребята остались ждать и следить, когда помеченная пчела прилетит обратно в улей, а я понёс пчелу домой. Я нарочно держал стакан повыше, чтоб пчела замечала дорогу. Снизу стакан был закрыт картоном, так что пчела не могла удрать, а сквозь стакан ей всё было видно.

Потом я пришёл домой и стал думать, как мне пометить пчелу, чтоб она не улетела прежде, чем я поставлю у неё на спинке отметку краской. Тогда я решил покормить пчелу мёдом и, пока она будет есть, пометить её. Я поставил на балконе блюдечко, налил в него капельку мёду и поставил стакан с пчелой на блюдечко.

Скоро пчела увидела мёд и стала его есть. Я осторожно снял стакан и мазнул пчелу по спине краской.

Пчела не испугалась и продолжала есть мёд. Потом она улетела, а я пошёл на пасеку, чтоб узнать, прилетела пчела обратно или нет. Я вышел на улицу и пошёл поскорее. Вдруг навстречу Серёжа.

— Прилетела! — кричит. — Уже прилетела!

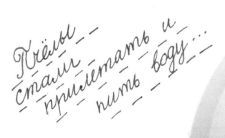

Мы принялись прыгать от радости посреди улицы. Вот какая пчела! Маленькая, а всё-таки не заблудилась. Нашла дорогу в свой родной улей!

Серёжа говорит:

— Давай стакан, мы поймаем ещё одну пчелу и снова сделаем опыт.

А я стакан дома забыл. Побежали мы домой за стаканом.

Я хотел убрать с балкона блюдечко, вдруг смотрю — прилетела пчела, села на блюдечко и давай есть. Мы присмотрелись к ней, а у неё на спине пометка краской.

— Да это ведь та же пчела! — догадался я. — Это она снова прилетела за мёдом.

— Вот так пчела! — говорит Серёжа. — Она не только нашла дорогу домой, но даже запомнила, что здесь мёд лежит, и прилетела ещё раз!

— Подождём. Может быть, она ещё прилетит, — говорю я.

Мы стали ждать. Минут через десять пчела прилетела снова.

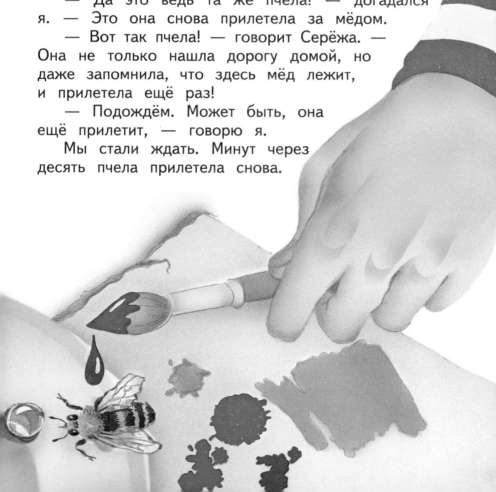

До вечера она раз двадцать прилетала за мёдом.

Удивительное насекомое! Какая-нибудь муха наелась бы мёду и улетела, а пчела не пожалела труда. Она и сама поела, и своим товарищам отнесла мёду. Очень хорошее насекомое! Таких, как пчёлы, надо уважать.

30 июня

Мы удивлялись: почему, если мёд положить далеко от улья и посадить на него пчелу, то пчела запомнит место, на котором был мёд, и прилетит снова, а если мёд положить близко от улья, но не сажать на него пчёл, то пчёлы сами не находят его.

Нина Сергеевна сказала:

— Сделайте такой опыт. Возьмите два стёклышка, налейте на них мёду. Одно стёклышко положите прямо на землю, а другое положите на кусочек цветной бумаги и следите, на какое стёклышко раньше сядет пчела.

Мы так и сделали. Одно стёклышко с мёдом положили прямо на траву, а под другое стёклышко положили кусочек голубой бумаги. Сначала пчёлы летали мимо и не замечали мёда. Вдруг на стёклышко с голубой бумагой села пчела и стала есть мёд. Мы пометили пчелу краской. Через некоторое время эта же пчела прилетела снова, а потом на это же стёклышко с голубой бумажкой прилетела ещё одна пчела, без отметки. Мы и её пометили краской. Часа через два на стёклышко с голубой бумажкой летало пять пчёл, а на стёклышко без бумаги пчёлы не обращали никакого внимания.

— Голубая бумага заметнее, поэтому пчёлы, должно быть, и садятся на неё, — сказал Витя.

— Правильно, — сказала Нина Сергеевна. — Теперь вам понятно, для чего у растений бывают красивые, яркие цветы — красные, синие, жёлтые?

— Для чего? — не поняли мы.

Нина Сергеевна рассказала, что яркие цветы привлекают пчёл!

— Неужели не догадались?.. Для того, чтобы привлекать пчёл и других насекомых.

— Зачем же растениям привлекать пчёл? — говорю я.

— Чтобы пчёлы помогали опылению. Чем больше пчёл и других насекомых будет прилетать на цветы, тем лучше растение опыляется и размножается.

Нина Сергеевна рассказала, что не все растения опыляются насекомыми. Есть такие растения, которые опыляются ветром, например рожь. У ржи цветочки совсем маленькие, незаметные, даже на цветы не похожи, потому что им вовсе не нужно привлекать пчёл и других насекомых.

Потом я пошёл домой и стал думать о том, как удивительно всё в природе устроено. Раньше я думал: почему цветы такие красивые? А теперь оказывается, что цветы красивые не просто для красоты. У тех растений, которые опыляются насекомыми, большие, красивые цветы нужны для того, чтобы насекомые быстрее находили их и помогали опылению. Значит, красота нужна не только для красоты, а и для пользы.

1 июля

Продолжаем опыты с пчёлами. Сегодня мы взяли два кусочка бумаги, красный и синий, налили на них мёду и посадили пчелу на синюю бумагу, а на красную не посадили пчелы. Пчела стала прилетать и носить мёд в улей с синей бумаги. Каждый раз она прилетала и садилась только на синюю бумагу, хотя красная лежала рядом и на ней тоже был мёд. Тогда мы поменяли местами обе бумажки. Пчела прилетела,

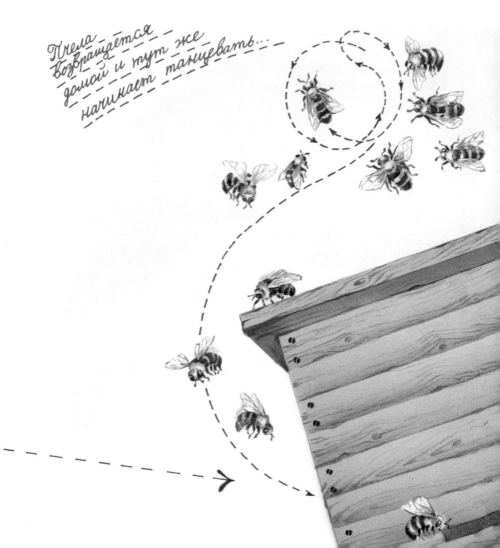

Пчела возвращается домой и тут же начинает танцевать...

увидела, что вместо синей бумаги лежит красная, и не стала на неё садиться. Она покружилась, увидела синюю бумажку и села на неё. Тогда мы отнесли синюю бумажку немного подальше, но пчела всё-таки отыскала её.

Мы делали опыты с разными цветными бумажками и заметили, что пчела всегда летит на тот цвет, на котором она нашла мёд. Значит, пчёлы не только различают цвета, но даже запоминают тот цвет, на котором нашли мёд. Это очень хорошо, что у пчёл такая способность. Она помогает им собрать побольше мёду.

Завтра Гриша и Федя уезжают в пионерлагерь. Сегодня они попрощались со всеми ребятами и сказали, что завтра уже не придут на пасеку. Федя сказал, что ему жалко расставаться с пчёлами, даже в лагерь ехать не хочется. А мы сказали, что пчёлы и без него проживут. Нечего ему выдумывать!

2 июля

Чем больше мы смотрим на пчёл, тем больше удивляемся. С виду пчёлы — это как будто всё равно что мухи. Но куда там мухам до пчёл! Что такое мухи? Мухи — это безмозглые балаболки. Они только жужжат, лезут, куда их не просят, надоедают людям, да ещё заразу разносят. А пчёлы — это совсем другой народ! Они всегда занимаются нужным делом, работают дружно, каждая трудится не только для себя, а для всех. И чего только они не делают! Сегодня приходим на пасеку, смотрим — что за непонятная картина! Несколько пчёл уселись в летке и машут изо всех сил своими крылышками.

Сначала мы подумали, что они просто к доске прилипли и не могут взлететь. Мы согнали их, но они снова уселись возле летка и давай махать крылышками. Мы побежали к Нине Сергеевне и рассказали об этом.

Нина Сергеевна сказала:

— Сегодня день очень жаркий и в улье стало душно, вот пчёлы и решили проветрить помещение. Они машут крылышками и гонят в улей свежий воздух. Это у них вентиляция такая.

Вот какие пчёлы, даже вентиляцию выдумали!

И ещё у меня сегодня была радость: мои мама и папа пришли на пасеку и смотрели на наших пчёл.

3 июля

Опять жаркий день. Пчёлы снова проветривают улей. А у поилки что творится! Пчёлы одна за другой вылетают из улья и летят к поилке, а напившись, тут же летят обратно в улей. В воздухе как будто цепочка из пчёл. Одна цепочка тянется от улья к поилке, другая — от поилки к улью.

Мы смотрели на них и удивлялись: почему пчёлы, напившись воды, не летят за мёдом, а тут же возвращаются в улей?

Нина Сергеевна сказала, чтоб мы пометили краской пчёл, которые прилетают пить воду. Толя принялся мазать краской всех пчёл, которые прилетали к поилке.

Пчёлы вентилируют свой улей!

У нас есть разделение труда!

Пчела!

Меченые пчёлы улетали в улей, а из улья вылетали новые пчёлы и летели к поилке. Толя мазал их всех по очереди.

Вдруг мы заметили, что из улья вылезла одна меченая пчела и полетела к поилке, за ней другая, третья...

Скоро мы увидели, что к поилке летают одни только меченые пчёлы и помечать больше некого.

— Да это какая-то водяная бригада! — закричал Федя. — Эти пчёлы, наверно, не пьют, а носят зачем-то воду в улей.

— Это так и есть, — сказала Нина Сергеевна. — В жаркую погоду часть пчёл всегда носит в улей воду для тех пчёл, которые заняты работой внутри.

— Разве те пчёлы сами не могут вылететь из улья, чтобы попить? — спросил я.

Нина Сергеевна объяснила нам, что у пчёл есть разделение труда. Молодые пчёлы, которые ещё не научились разыскивать цветы, работают в улье: строят соты, следят за чистотой, проветривают помещение, кормят детву, а старые пчёлы летают за мёдом, носят в улей воду, когда очень жарко.

— Жалко, что нельзя посмотреть, как там в улье пчёлы работают, — сказал Женя.

Нина Сергеевна сказала, что бывают такие ульи со стеклянными стенками, сквозь которые можно наблюдать, как работают пчёлы.

Мы решили, что, когда у нас будет несколько ульев, мы обязательно сделаем один со стеклянной стенкой.

4 июля

Сегодня Нина Сергеевна сказала:

— Скоро зацветёт липа. Надо нам приготовиться к главному медосбору.

— А что такое главный медосбор? — заинтересовались мы.

— Это такая пора, когда зацветает сразу много цветов: цветёт на полях клевер или гречиха, зацветают акация, или клён, или ветла. Как раз в это время пчёлы делают самые большие запасы мёда. Это и есть главный медосбор.

— А у нас ведь нет ни клевера, ни гречихи, — говорим мы.

— Зато у нас много липы. У нас будет главный медосбор с липы.

Нина Сергеевна научила нас сделать для улья надставку, которая называется магазином.

Этот магазин — как будто второй этаж улья. В него ставят добавочные рамки, чтобы пчёлам было куда складывать мёд, когда начнётся большой медосбор.

Мы сделали для улья надставку, а Нина Сергеевна сказала, чтоб мы следили, когда начнёт цвести липа.

Как только липа зацветёт, мы поставим на улей надставку.

5 июля

Липа ещё не зацвела. Я нарочно залез на дерево, чтобы проверить, но цветы ещё не распустились.

Галя увидела и говорит:

— Ты зачем по деревьям лазишь? Слезай сейчас же вниз!

Я говорю:

— Я цветы проверяю.

— Для этого не надо по деревьям лазить, и так будет видно.

Но я всё-таки проверил как следует. Вдруг прозеваем!

6 июля

Я уже давно заметил, что в летке улья постоянно сидят две или три пчелы. Другие пчёлы прилетают и улетают, а эти сидят и никуда не уходят. Я долго думал, что это за пчёлы.

А сегодня в улей пытался пробраться шмель. Он жужжал вокруг улья, жужжал — наверно, искал какую-нибудь дырку, чтоб залезть в улей и полакомиться мёдом. Дырки он так и не нашёл и полез прямо в леток. Тут эти пчёлы набросились на него и стали прогонять.

Он пустился от них удирать, но они догнали его и стали жалить. И правильно! Зачем он позарился на чужой мёд! Пчёлы ведь не для него собирают мёд. Кто работает, тот и ест мёд, а кто не работает, тому не надо давать мёда.

А потом я подумал: «Может быть, эти пчёлы нарочно сидят в летке и караулят, чтобы к ним не пробрались какие-нибудь разбойники?» Я спросил Нину Сергеевну. Нина Сергеевна сказала, что я правильно угадал.

Всё-таки, оказывается, у меня голова кое-что умеет соображать.

Нина Сергеевна рассказала, что пчёлы не жалеют жизни, защищая свой родной улей. Если на улей нападёт даже такой большой зверь, как медведь, все пчёлы бросаются на него и жалят.

Только если пчела ужалит кого-нибудь, то она не может вытащить жало, а без жала пчела обязательно умирает.

Вот какие храбрые пчёлы.

Пчёлы набросились на шмеля и стали прогонять его.

Пчёлы не жалеют жизни, защищая свой улей!

ОБЪЯВЛЕНИЕ

ПОСТОРОННИМ
ВХОД В
УЛЕЙ
ВОСПРЕЩЕН

ПАСЕКА.
пчела

7 июля

Вот какое большое научное достижение!

Сегодня Женя Шемякин изобрёл способ наблюдать пчелиную жизнь внутри улья. Он взял зеркальце и пустил в леток солнечный зайчик. Солнечный зайчик осветил внутренность улья, и пчёлы стали видны. Только всем сразу нельзя смотреть, потому что леток маленький и можно смотреть только одному человеку. Все ребята смотрели по очереди, и я никак не мог дождаться. Передо мной стал смотреть Витя Алмазов. Я всё просил, чтоб он пустил меня, а он всё «подожди» да «подожди». Целый час, наверно, смотрел! Потом говорит:

— На, смотри.

Я взял у него зеркальце и стал пускать в улей зайчик, но солнце уже перешло на другую сторону, и зайчик не попадал в леток.

Я говорю:

— Что же ты дал зеркало, когда солнце ушло?

— А я виноват, что оно ушло?

Вот и поговори с ним! Такая жадина! Завтра возьму зеркало, приду раньше всех и захвачу место у улья. Пусть тогда попросят меня.

Дома читал газету. В газете была статья про мёд. Оказывается, мёд — лечебное вещество. У кого больной желудок, или сердце, или лёгкие, или нервы, или ещё что-нибудь, всем надо есть мёд, и они быстро поправятся. А если у кого-нибудь нарыв или чирей, то надо намазать его мёдом и завязать тряпочкой, и чирей быстро пройдёт.

8 июля

Вот какая досада! Сегодня нарочно пришёл на пасеку с зеркалом, а солнышка нет. За весь день солнце не выглянуло ни разу. Не везёт мне!

Потом у нас был сбор отряда. Все звенья рассказывали о своей работе. Мы рассказали о наших опытах с пчёлами, а звеньевой второго звена Шура рассказал о работе на опытном огороде. Он сказал, что у них будет очень большой урожай огурцов, гораздо больше, чем в прошлом году. Это, конечно, потому, что в прошлом году пчёл не было, а в этом году наши пчёлы собирали на огуречных цветах мёд и помогали опылению.

9 ИЮЛЯ

Наконец-то солнышко выглянуло! Я надел на голову сетку, на руки натянул рукавицы, чтоб пчёлы не жалили, уселся возле улья и стал пускать зеркальцем зайчик в леток. Батюшки, что там в улье творилось! Пчёлы копошатся на сотах, лазят по ним вверх и вниз, для чего-то залезают в ячейки, потом вылезают обратно. Когда солнышко начало припекать, пчёлы снова стали вентилировать улей. Они махали крылышками не только в летке, но и внутри улья. Некоторые пчёлы сидели прямо на сотах и изо всех сил работали крыльями. Каждая пчёлка — как будто маленький вентилятор. Мне очень хотелось увидеть пчелиную детву, но сколько я ни смотрел, ни одной маленькой пчёлки не видел.

Вечером я сказал Нине Сергеевне, что у наших пчёл нет никакой детвы.

— А какая, по-твоему, пчелиная детва? — спросила Нина Сергеевна.

— Ну, это такие маленькие пчёлки, совсем-совсем крошечные, — говорю я.

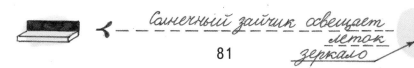

Солнечный зайчик освещает
леток
зеркало

Нина Сергеевна засмеялась и говорит:

— Нет, пчелиная детва не такая. Вот мы завтра откроем улей, я вам покажу пчелиную детву.

Я сказал всем ребятам, чтоб приходили завтра смотреть пчелиную детву.

10 июля

Всё наше звено собралось с утра на пасеке. Скоро пришла Нина Сергеевна и стала рассказывать, как пчёлы выводят детву. Оказывается, что пчёлы строят ячейки из воска не только для того, чтобы складывать в них запасы мёда, но и для того, чтобы выводить в них детву. В каждой пчелиной семье есть одна самая большая пчела — матка. Пчелиная матка ничего не делает в улье, только кладёт яйца. Остальные пчёлы не могут класть яйца, они только работают и поэтому называются рабочими пчёлами. Пчелиная матка может отложить за день до двух тысяч яиц. Она откладывает яйца в пустые восковые ячейки. Каждая ячейка — это как будто гнёздышко, в котором лежит яйцо.

Нина Сергеевна велела нам открыть улей и вынула из него одну рамку. Мы стали рассматривать соты. Сначала нам показалось, что соты пустые, но Нина Сергеевна сказала, что в них лежат яйца. Мы присмотрелись и увидели, что на дне каждой ячейки лежит по крошечному яйцу. Каждое яйцо не больше макового зёрнышка, только маковое зёрнышко чёрное, а яйцо белое.

Мы никак не могли понять, как из таких маленьких яиц выходят пчёлы, но Нина Сергеевна сказала, что из яиц выходят не пчёлы, а личинки, то есть такие маленькие червячки, или гусенички, только без ножек.

Нина Сергеевна нашла на сотах ячейки, в которых из яиц уже вывелись личинки, и показала их нам. Одни личинки были совсем маленькие, другие побольше. Они свернулись калачиком и лежали на дне ячеек.

— Вот эти личинки и есть пчелиная детва, — сказала Нина Сергеевна.

Мы удивились. А Толя сказал:

— Какая же это детва? Они когда вырастут, из них получатся какие-нибудь червяки или гусеницы. Что с ними будут делать пчёлы?

Пчелиная матка откладывает за день до 2 тысяч яиц!

Нина Сергеевна сказала:

— Когда личинка вырастет, она превращается в куколку, а из куколки через несколько дней уже выходит сразу настоящая большая пчела.

Ещё Нина Сергеевна рассказала, что, кроме рабочих пчёл, в ячейках выводятся молодые матки и трутни. Для молодых маток пчёлы делают большие, просторные ячейки. Перед тем как должна вывестись молодая матка, часть пчёл вместе со старой маткой улетает из улья, и получается рой. Если рой посадить в другой улей, то получится новая пчелиная семья.

Трутни немного крупнее рабочих пчёл. Рабочие пчёлы — это самки, а трутни — самцы. Мёда трутни не собирают, а едят за четверых. Когда приходит зима, пчёлы прогоняют всех трутней из улья, чтоб они не уничтожали запасов мёда.

Сегодня вечером я долго думал о пчёлах. Сначала я решил, что пчёлы — это всё равно что птицы: у птиц есть крылья, и у пчёл крылья; птицы несут яйца, и пчёлы тоже откладывают яйца. Только из птичьих яиц сразу выводятся птенцы, а у пчёл сначала выводятся какие-то личинки, или гусеницы. Значит, пчёлы — не птицы. Что же такое пчёлы? Я думал, думал и решил, что пчёлы — это всё равно что бабочки. У бабочек тоже есть крылья, бабочки тоже откладывают яйца, а из яиц выводятся гусеницы, а из гусениц получаются куколки, а из куколок получаются снова бабочки. Это я точно знаю, потому что у меня в прошлом году жила в ящике большая мохнатая гусеница, которая в один прекрасный день превратилась в куколку.

И вот эта куколка лежала-лежала, и в один ещё прекрасный день из неё вышла большая, замечательно красивая бабочка. Значит, и пчёлки — это такие маленькие бабочки.

11 июля

Сегодня был очень хороший, солнечный день. Утром я прихожу на пасеку, а Толя уже сидит возле улья с маленьким зеркальцем, заглядывает одним глазом в верхний леток и потихоньку смеётся.

— Чего ты смеёшься? — спрашиваю я.

— Они танцуют.

— Кто танцует?

— Пчёлы.

— С ума, — говорю, — спятил!

— Посмотри сам.

Я взял у него зеркальце и стал смотреть в леток.

Одна пчела бегала вприпрыжку по сотам. Она поворачивалась то в одну сторону, то в другую, то быстро вертелась. Вдруг другая пчела бросилась следом за ней, и они стали вертеться вместе. Следом за второй пустилась плясать третья пчела.

Я не выдержал и громко рассмеялся.

— Всё время так, — сказал Толя. — Я за ними уже давно слежу.

Я пустил зайчик в нижний леток и увидел на дне улья настоящий хоровод. Одна пчела бегала впереди, а за нею вприпрыжку мчалась целая вереница пчёл. Первая пчела вертелась в разные стороны, описывала круги, а остальные пчёлы в точности повторяли её движения. Повертевшись на месте, первая плясунья перелетела в другое место и начала снова плясать. Постепенно к ней присоединились другие пчёлы, и опять получился пчелиный хоровод.

Тут пришли остальные ребята. Мы стали показывать им, как пляшут пчёлы.

— Что же это происходит? — говорит Витя. — Может быть, у них тут какой-нибудь пчелиный праздник?

Все засмеялись:

— Разве у пчёл бывают праздники?

Мы побежали к Нине Сергеевне и стали спрашивать, почему пчёлы пляшут. Нина Сергеевна сказала, что, когда какая-нибудь пчела находит место, где цветёт много цветов, она возвращается в улей и начинает плясать. Этим она даёт знать другим пчёлам, что надо лететь за мёдом. Во время танца остальные пчёлы обнюхивают первую пчелу и по запаху узнают, на каких цветах она брала мёд. После этого пчёлы вылетают из улья и летят туда, откуда доносится запах этих цветов.

— В особенности часто пчёлы танцуют во время главного медосбора, — сказала Нина Сергеевна. — Вы проверьте, может быть, уже зацвела липа.

Мы скорей побежали к школе. Во дворе перед школой росли большие старые липы. Мы посмотрели вверх и увидели, что пчёлы во множестве летают вокруг деревьев и садятся на цветы.

Мы увидели, что липа уже зацвела, побежали на пасеку и поставили на улей надставку. Пчёлы до вечера продолжали плясать в улье.

Одна пчела так расплясалась, что выскочила на прилётную доску и там ещё продолжала плясать, а потом улетела за мёдом.

Вечером я пошёл домой и стал думать о пчёлах. Так вот какой пчелиный язык! Когда пчёлам нужно сообщить друг другу, что надо лететь за мёдом, они просто пляшут. Конечно, пчёлы не могут сказать, куда нужно лететь за мёдом, а только по запаху узнают дорогу. Значит, у них хорошее обоняние, гораздо лучше, чем у людей. В этом, конечно, ничего удивительного нет, собаки тоже очень хорошо умеют находить дорогу по запаху, но зато собаки не умеют плясать. Правда, хорошую собаку тоже можно научить танцевать, но всё-таки никакая собака не поймёт, что если другая собака пляшет, то это значит, что нужно лететь за мёдом.

А пчёлы это хорошо понимают.

Потом я ещё о цветах думал: почему цветы пахнут? Неужели они пахнут для того, чтобы людям было приятно их нюхать? Нет, наверно, они пахнут для того, чтобы пчёлы скорее находили их и помогали опылению. Ведь растениям выгодно, чтобы побольше пчёл и других насекомых прилетало на цветы.

И потом ещё вот что: для чего в цветах сладкий сок? Может быть, тоже для того, чтобы приманивать насекомых? Ведь если бы сладкого сока не было, зачем бы пчёлы стали летать на цветы?

Завтра спрошу у Нины Сергеевны, правильно я думаю или нет.

12 июля

Я спросил Нину Сергеевну, и она сказала, что я додумался правильно.

Вот, оказывается, какой я умный — до чего сам додумался! Теперь всегда буду думать о разных вещах. Всё-таки у меня хорошие результаты получаются от думанья.

Почему цветы пахнут?

Сегодня у нас на пасеке работа кипит вовсю. Пчёлы жужжат так, что в воздухе стоит непрерывный гул, как на текстильной фабрике, куда нас Галя водила на экскурсию в позапрошлом месяце. Пчёлы носятся туда и сюда. Они как будто спешат наносить побольше мёду, пока цветёт липа. На прилётной доске возле летка толкучка: одни пчёлы лезут из улья, чтоб поскорей лететь за мёдом, другие уже прилетели и лезут навстречу в улей, чтобы сложить добычу. А на деревьях их сколько! Тысячи! Все деревья облепили. Мы и не думали, что у нас столько пчёл.

Нина Сергеевна рассказала, что во время главного медосбора в улье бывает до восьмидесяти тысяч рабочих пчёл, а в некоторых очень сильных семьях — даже до ста тысяч.

Подумать только — сто тысяч! Это как людей в большом городе. А что такое улей? Это и есть пчелиный город.

Пчёлы танцуют во время главного медосбора

Зацвела липа...

13 июля

Кипит работа! Пчёлы носятся, как эскадрильи самолётов. Возле летка по-прежнему суета. А внутри улья и сегодня танцы. Будто на самом деле праздник.

А может быть, это и есть праздник у пчёл — праздник Медосбор? Пчёлы ведь должны радоваться, когда много мёду. Поработают, зато на зиму будут запасы.

14 июля

Вот так чудо чудное! Про наше звено написали в газете! Утром мы пришли на пасеку, вдруг смотрим — бежит Витя, а в руках у него газета.

— Ребята! — кричит он. — Посмотрите, про нас в газете написано!

Мы посмотрели, а в газете карточка, на которой мы все сняты с ульем, и напечатано, как мы сделали улей и стали разводить пчёл. И все наши фамилии напечатаны. Даже сказано, в какой мы учимся школе.

Мы скорей побежали к киоску и стали покупать газеты. Все купили себе по газете, а мы с Павликом купили даже по две.

Потом мы стали думать, кто же это про нас написал. Юра говорит:

— Это, наверно, Галя. Ведь она нас снимала. Должно быть, это она послала в газету нашу фотокарточку и написала статью.

На цветущей липе сидят тысячи пчёл...

Мы побежали к Гале и спросили её. Оказалось, что это на самом деле написала Галя. Мы стали говорить ей спасибо.

Галя говорит:

— За что же мне спасибо? Ведь вы сами сделали улей, сами работали, себя и благодарите.

Все побежали показывать газеты домой. Мы с Серёжей и Павликом тоже пошли. Павлик сказал:

— А вот нам-то и благодарить себя не за что!

— За что же нам благодарить себя — мы пришли на готовое, — говорит Серёжа. — Нам надо ребят благодарить за то, что они дело не бросили.

— За что же про нас в газете написано?

— Ни за что. Мы просто случайно попали.

— Чем же нам гордиться тогда?

— Да и гордиться нечем! Это ребята могут гордиться: они дело не бросали.

— Как же так? — говорит Павлик. — Ведь и про нас будут в газете читать. «Вот, — скажут, — хорошие ребята!» А мы разве хорошие?

— Я лучше никому не буду газету показывать, — сказал Серёжа.

— Я тоже, — говорит Павлик.

Не знаю, показывали они кому-нибудь газету или нет, а я показал. И маме, и папе, и дяде

Васе, и тёте Наде. Потом пошёл всем соседям показывать. Все хвалили меня, хвалили. Мне даже совестно стало. Я вернулся домой и стал думать, почему мне совестно, и что это за совесть такая, и зачем она людей мучит. Почему, когда сделаешь хорошо, совесть не мучит, а когда сделаешь плохо, так мучит?

По-моему, совесть — это что-то вроде человека внутри человека. Только этот человек очень хороший и не любит, когда делают плохо. Когда я сделаю что-нибудь плохое, он упрекает меня. Конечно, это только я так думаю про этого человека внутри человека, потому что внутри человека нет никакого человека... Разве кто-нибудь другой упрекает меня? Это я сам упрекаю себя! Значит, я сам своя совесть. Вот что такое совесть! Совесть — это я сам. За что же я упрекаю себя?.. За то, что перед соседями хвастался.

Может быть, соседи подумали, что я важная птица, а на самом деле я самый простой человек. В следующий раз не буду хвастаться, если хвастаться нечем.

15 июля

Слава про наш улей разнеслась по всей школе. Сегодня к нам приходили ребята из младших классов и даже из старших. Все расспрашивали нас про пчёл, а мы показывали им наш улей и рассказывали, как обращаться с пчёлами. Ребята сказали, что будут приходить учиться у нас пчеловодному делу. Потом пришёл один незнакомый дяденька.

— Это вы ребята, про которых в газете писали?

— Мы, — говорим мы.

— Неужели у вас пчёлы живут?

— Живут.

Он присел возле улья и долго смотрел на пчёл. Потом сказал:

— Ишь ты, какая удивительная вещь!

И пошёл домой. Вот! Даже взрослые начинают интересоваться нашей работой.

А если бы в газете не было написано, то никто и не знал бы про нас.

16 июля

Сегодня к нам приходили двое ребят из другой школы. Они читали про наше звено в газете и пришли посмотреть, как сделан улей, чтоб и у себя в школе устроить. А потом опять пришёл тот гражданин, который вчера приходил. Он снова долго сидел возле улья и разговаривал с нами, а потом его укусила пчела, и он ушёл.

17 июля

Вот как быстро разносится слава! Сегодня на пасеку пришла Галя и говорит:

— Подите, ребята, в школу: там вам письмо пришло.

Мы удивились: кто же это мог нам письмо написать?

Потом побежали в школу, взяли письмо и стали читать. Вот что там было написано. Я нарочно решил переписать его себе в дневник на память:

«Здравствуйте, дорогие ребята, юные пчеловоды! Примите наш пламенный ученический привет. Пишут вам ученики ремесленного училища мебельного комбината. Мы прочитали про вас в газете и хотим познакомиться с вами посредством письма и наладить связь. Ваша работа очень пон-

равилась нам, и у нас появилась охота тоже заняться пчеловодством. Просим сообщить нам размеры улья и, по возможности, прислать чертёжик. Мы деревообделочники, будущие столяры-мебельщики. Уже умеем делать табуретки, скамейки, столы, а с будущего года начнём делать гнутую мебель. Думаем, что улей мы сумеем хорошо сделать и даже другим ребятам, какие захотят, можем тоже наделать ульев. Ещё сообщите, где можно достать пчёл. Ещё раз примите наш пламенный, горячий привет! Не сочтите за труд ответить. Пишите как можно скорее. Ждём с нетерпением ответа. Поздравляем с великим достижением и желаем вам новых больших успехов в работе».

Как раз в этот день у нас был сбор отряда. Галя прочитала письмо на сборе, и мы все решили написать ребятам ответ.

Написали всё как следует, даже улей нарисовали и сообщили адрес пчеловодного хозяйства, чтобы ребята знали, откуда выписать пчёл.

18 июля

А сегодня вдруг снова пришло ещё одно письмо. Прислал его какой-то совсем маленький мальчишка. Только он хоть и маленький, а письмо сумел хорошо написать. Нам всем оно очень понравилось. Я и это письмо решил списать в свой дневник. Вот что там было написано:

«Здравствуйте, милые друзья пионеры и школьники! Я к вам с просьбой. Очень прошу сообщить. Милые друзья! Уже с прошлого года я занимаюсь пчеловодством и стараюсь развести пчёл в коробке. Только сколько я ни стараюсь, ничего у меня не выходит. Пчёлы не хотят у меня жить и улетают от меня. Я кладу им в коробку мёду и сахару, но они поедят мёду и улетают из коробки. А вчера я поймал в саду десять пчёл, а сегодня они удрали от меня. А у меня мечта — накопить пчёл побольше, чтобы, когда я подрасту, можно было устроить улей или хотя бы два, потому что я решил стать пасечником. Сообщите мне, милые друзья, как вы делаете, чтобы пчёлы не улетали от вас, а то я ещё маленький и, может быть, делаю что не так. И ещё сообщите, милые друзья, кусают ли вас пчёлы. Меня они кусают, но я терплю, как на войне раненые бойцы терпят. До свиданья, милые друзья. Писал Митя Ромашкин. Жду ответа, как соловей лета!»

Мы прочитали это письмо, и нам стало очень смешно, а потом мы вспомнили, как сами собирались ловить пчёл по одной, и перестали смеяться и написали Мите Ромашкину всё, что сами знали о пчёлах и как нужно с ними обращаться, чтоб они жили в улье.

Мы долго писали ответ, и письмо получилось длинное, а потом мы пошли на пасеку.

19 июля

Вот так дела пошли! Каждый день по письму! Сегодня пришло письмо мне. На конверте так и написано: «Коле Синицыну — знаменитому пчеловоду». У меня даже задрожали руки, когда я получил это письмо. Я поскорей распечатал его и начал читать:

«Здравствуйте, дорогой незнакомый друг Коля Синицын! Вы, может быть, удивитесь, что Вам пишет совсем незнакомая девочка, которой Вы вовсе не знаете, а может быть, и не интересуетесь знать, так как Вы теперь человек известный, про которого даже в газете написано. Я, конечно, как и другие, узнала про Вас из газеты, в которой напечатана карточка, где Вы сняты со всем звеном, и написано про Вашу работу.

Мы прочитали эту газету на сборе звена и решили последовать Вашему примеру и заниматься этой интересной работой.

Вы, может быть, улыбнётесь, читая эти строчки моего письма, потому что некоторые мальчики презрительно относятся к девочкам и воображают, что девочки ничего не могут, а мальчики могут всё. И вот мы ре-

шили доказать всем мальчикам, что девочки ничуть не хуже их, и тоже хотим разводить пчёл. Может быть, многим из нас это пригодится в жизни, и мы на своей школьной пасеке будем изучать пчеловодство, а когда вырастем, будем работать колхозными пчеловодками. И вот всё звено поручило мне написать Вам письмо и спросить, как Вы сделали улей и развели пчёл. А я решила написать лично Вам, потому что мне понравилась Ваша фамилия, и Вы, наверно, мальчик добрый и не откажете в нашей просьбе.

А теперь до свиданья.

С пионерским приветом пионерка Люся Абанова».

Я сначала не знал, стоит ли писать этой девчонке ответ, но все ребята сказали, что надо написать, и Галя тоже сказала, чтоб я обязательно написал, потому что раз девочки хотят работать, так надо им помочь, и это будет очень нехорошо, если я не отвечу.

Тогда я пошёл домой и стал писать ответ. Целый час корпел над письмом, потому что мне хотелось написать получше и не ударить, как говорится, в грязь лицом. В конце концов я написал всё как следует.

Очень красивое письмо получилось. Мне даже самому понравилось. Все ребята сказали, что не стыдно такое письмо посылать.

20 июля

Сегодня к нам опять приходили ребята, а потом пришёл тот гражданин, которого в прошлый раз укусила пчела. Мы очень боялись, как бы его снова пчела не ужалила, и дали ему сетку, чтобы он надел на голову. Гражданин надел на голову сетку, а когда пришла Нина Сергеевна, он стал её спрашивать:

— Скажите, пожалуйста, что, этот улей — просто для изучения или от него может быть польза?

— И для изучения, и польза будет, — сказала Нина Сергеевна.

— Какая же, скажите, пожалуйста, польза? Разве в городе можно пчёл держать?

— Почему же нет? В городе растёт очень много медоносных растений. В парках, в садах, на бульварах, даже просто на улицах и во дворах

растут такие медоносы, как клён, липа, акация, ветла, черёмуха и многие другие. Кроме того, пчёлы могут летать за добычей очень далеко. Они могут вылетать из города и собирать мёд в окрестных полях. Это раньше думали, что пчёл можно держать только в деревне, а теперь даже в таких больших городах, как Москва, живут пчеловоды, которые держат пчёл.

— Ну, если так, то я тоже начну разводить пчёл, — сказал гражданин. — Да вот беда — у меня ульи поставить негде.

— Почему же негде? — спросила Нина Сергеевна. — Для ульев всегда можно найти подходящее место. Если нельзя поставить во дворе, то поставьте хоть на балконе, или на чердаке, или даже просто в сарае.

— Ах так? Ну, если так, то конечно. А я и не знал, что ульи можно на балконе поставить. Скажите пожалуйста! Вот как далеко шагнула наука!

Гражданин поблагодарил Нину Сергеевну, сказал, что ещё придёт поучиться у нас, и ушёл с нашей сеткой на голове. Пришлось его догнать и напомнить, чтоб сетку отдал.

21 июля

Сегодня было очень жарко и пчёлы почему-то плохо работали. Они выкучивались из летка и целой гроздью висели на прилётной доске, прицепившись друг к дружке. У улья получилась как будто борода из пчёл. Эта «борода» висела, висела, а потом пчёлы залезли обратно в улей, и «борода» пропала. Потом они снова вылезли, и опять получилась «борода». Наконец они спрятались в улей и сидели до вечера.

22 июля

Мы с Серёжей и Павликом пришли с утра на пасеку и увидели, что пчёлы снова стали выкучиваться из летка. Мы думали, что им опять захотелось повисеть «бородой», но пчёлы кучей взлетели кверху и стали кружиться над ульем. Они громко жужжали, а за ними вслед вылетали другие пчёлы. Из улья началось повальное бегство. Мы испугались и спрятались за дерево, а пчёлы тучей летали по саду и гудели так, что, наверно, за километр было слышно.

— Что это они, взбесились? — говорит Павлик.

— Да ведь это рой! — догадался Серёжа.

— Верно! Куда же мы его будем сажать?

— Надо принести ведро, — говорю я.

— Так беги скорей домой, а я буду следить, куда сядет рой, — говорит Павлик.

Мы с Серёжей выбежали за ворота и во весь дух помчались по улице. Я прибежал домой и принялся искать ведро, но не нашёл и схватил вместо него большую картонную коробку от радиоприёмника. Прибегаю назад с коробкой, смотрю — возле улья никого нет, а Серёжа как угорелый бегает по саду с ведром.

Рой гроздью висел на ветке дерева.

— Где же Павлик? — спрашиваю я.

— Не знаю. Я уже весь сад обыскал. Нигде нет.

— А рой где?

— И роя нет.

Мы остановились и стали осматриваться. Тут из-за забора высунулась голова Павлика и сказала:

— Ну, чего вы стоите там? Идите скорее сюда!

Мы скорее перелезли через забор в соседний двор. Серёжа зацепился ногой за забор и уронил ведро. Оно с грохотом покатилось на землю.

— Тише ты! — зашипел Павлик. — Испугаешь ведь рой.

— А где он?

— Вот, разве не видишь?

Тут мы увидели рой. Он гроздью висел на ветке дерева. Все пчёлы слепились плотным комком, и только две-три пчелы летали вокруг, будто не могли пристроиться к общей куче.

— Ну, давайте скорее ведро, — говорит Павлик.

— Может быть, их лучше в коробку собрать? — говорю я. — Коробка побольше ведра.

— Ладно, давай коробку.

Я осторожно поднёс коробку под рой. Павлик сильно тряхнул веткой, и весь рой моментально свалился в коробку. Я сейчас же закрыл её крышкой.

— Есть! — говорю. — Теперь они никуда не улетят.

Мы перелезли обратно через забор и увидели, что на пасеку пришли остальные ребята.

— Идите скорее смотреть! — закричал я. — У нас рой.

— Где рой?

— А вот, в коробке.

— Где вы его взяли?

— Из улья вылетел.

Ребята заглянули в коробку и удивились:

Наш новый улей

— Вот так чудо! Значит, у нас вторая пчелиная семья будет! Надо поскорей новый улей делать.

Мы принесли инструменты и в спешном порядке стали делать новый улей. Пришла Нина Сергеевна. Мы показали ей рой в коробке. Нина Сергеевна посмотрела и говорит:

— Не вовремя рой вылетел.

— Почему не вовремя?

— Потому что сейчас большой медосбор. Когда пчёлы роятся, они плохо работают и мало собирают мёда.

— Ничего, — говорим мы. — Нам много мёду не нужно. Пусть лучше будет побольше пчёл.

К вечеру мы сделали улей, поставили в него несколько рамок с вощиной и перенесли из старого улья одну рамку с личинками и одну рамку с мёдом, чтоб у новой пчелиной семьи сразу было своё хозяйство. Потом мы вытряхнули из коробки весь рой прямо в улей на рамки, накрыли улей крышей и пошли домой.

Мы с Серёжей и Павликом очень довольны, потому что если бы не мы, то рой улетел бы. Значит, и от нас тоже бывает польза.

23 июля

Вчера Нина Сергеевна сказала, чтоб мы внимательно следили за новой пчелиной семьёй, так как рой иногда не приживается на новом месте и может улететь, чтоб найти для себя другое жилище. Сегодня мы нарочно пришли пораньше и стали следить.

И вот мы увидели, как из нового улья вылетела первая пчёлка. Она обернулась в воздухе головкой к летку, словно старалась запомнить, откуда она вылетела, потом стала кружиться в воздухе, как будто для того, чтобы запомнить место, где стоит улей, а потом уже улетела прочь. Тут стали вылетать и другие пчёлы. Все они сначала кружились около улья, а потом улетели. Мы очень беспокоились, найдут ли пчёлы дорогу в свой новый дом или полетят, по привычке, в старый улей, но через некоторое время пчёлы стали возвращаться назад. Мы очень обрадовались. Значит, пчёлам понравилось их новое жилище.

24 июля

С утра мы снова пришли на пасеку и любовались на своих пчёл. Работа кипит в обоих ульях. Но в новом улье пчёлы работают активнее. Каждая пчёлка не теряет времени даром, а как только выползет из летка, сейчас же расправляет крылышки и быстро летит за мёдом.

Нина Сергеевна сказала, что рой в новом улье всегда проявляет большую энергию, потому что пчёлам надо успеть построить гнездо и собрать побольше мёду на зиму.

25 июля

Дует ветер. Небо хмурится. Солнышко то выглянет, то спрячется в тучи. Иногда начинает накрапывать дождь. Пчёлы в старом улье сидят и не хотят никуда вылетать. Но в новом улье работа не прекращается. Как только солнышко выглянет, пчёлы сейчас же начинают вылетать за мёдом. Молодцы! Пусть стараются.

Федя и Гриша вернулись из лагеря. Вот как быстро время прошло!

Ну и удивились же они, когда увидели, что у нас теперь уже два улья. Они думали, что мы выписали ещё одну пчелиную семью, но мы рассказали им, что это вылетел рой.

Потом мы показали им газету с карточкой и письма, которые нам прислали ребята. Они очень обрадовались. Гриша сказал:

— Ну и дела пошли, а мы и не знали, что тут творится!

26 июля

Совсем плохая погода. Почти весь день шёл дождь. Обе пчелиные семьи сидели в ульях и не летали за мёдом.

Нам было скучно без пчёл. Галя сказала, что сегодня мы всем нашим отрядом пойдём в кино смотреть новую картину.

После обеда Галя взяла на всех билеты, и мы ходили в кино.

27 июля

Вот и окончился главный медосбор. Липа уже отцвела. Теперь пчёлам придётся разыскивать какие-нибудь цветы в разных местах. Тут уж не наберёшь много мёду. Мы стали бояться, что новая пчелиная семья останется на зиму без мёда, но Нина Сергеевна сказала, что ей можно будет уделить часть мёда из старого улья. Мы проверили запасы мёда, и оказалось, что мёда хватит на обе семьи.

— Только вам самим уж не придётся в этом году поесть своего мёда, — сказала Нина Сергеевна.

— А мы и не хотим мёда, — говорим мы. — Пусть лучше пчёлам останется. Ведь они сами трудились, значит, это их мёд.

— Вот и прекрасно, — сказала Нина Сергеевна. — Зато у пчёл будут достаточные запасы на зиму. Пчёлы хорошо перезимуют, а на следующий год соберут столько мёда, что и для вас останется.

— Вот тогда-то мы и попробуем своего мёда! — сказал Павлик.

— А где же будут зимовать наши пчёлы? Для них, наверно, надо зимовник сделать? — спросил Юра.

— Один или два улья могут зимовать в хорошем сухом погребе или просто в землянке, —

сказала Нина Сергеевна. — Под землёй пчёлам будет хорошо.

Мы решили с завтрашнего дня приняться за постройку землянки, чтоб нашим пчёлам было помещение на зиму.

28 июля

С утра все ребята собрались на пасеке, и мы приступили к постройке землянки. Мы решили сначала выкопать в саду яму, потом накрыть эту яму досками, а сверху засыпать землёй, чтобы внутрь не пробрался холод. Мы принесли лопаты и стали копать яму.

Земля была твёрдая. Мы провозились до вечера, но зато яма получилась хорошая. Юра придумал развести в яме костёр, чтобы стены хорошенько просохли и в зимовнике не было сырости.

Мы натаскали хворосту и разожгли в яме большой костёр.

Все ребята разбрелись по саду, стали собирать сухие ветки и подбрасывать их в огонь. Скоро стемнело. Костёр догорел. Мы забрались в яму, убрали золу, а потом уселись на дне и стали мечтать. Вверху над нами чернело небо, а на нём сверкали яркие звёздочки. Ветер шумел в ветвях деревьев, а у нас в яме было тепло и уютно.

— А я буду скучать по пчёлам зимой, — сказал Гриша. — Я к ним очень привык и полюбил их за то, что они такие хорошие маленькие труженики.

— Я тоже буду скучать по пчёлам зимой, — сказал Федя.

— До зимы ещё далеко, — ответил Толя. — А зимой мы будем учиться, и скучать будет некогда.

— А ведь правду сказал нам дедушка-пчеловод: «Кто начнёт заниматься пчеловодством, тот никогда не бросит этого дела», — сказал Павлик. — Вот я, например, — я уже твёрдо решил: когда вырасту, обязательно стану пчеловодом на колхозной пасеке. У меня будет много ульев, штук сто или двести. Скорее даже двести, чем сто!

— Тебе хорошо, — ответил Федя. — А мне как быть? Ведь я уже решил сделаться инженером, чтобы строить мосты, тоннели, каналы...

— Ну и что же? — говорю я. — Будь себе инженером, а дома у тебя будут ульи. Они ведь не помешают тебе.

— Конечно, — говорит Витя. — Вот я, например, буду художником и пчеловодом. Разве нельзя сразу по двум специальностям работать?

— Художнику хорошо! — ответил Женя. — А мне-то как быть? Я хочу быть лётчиком.

Мы мечтаем...
Павлик-пчеловод.

Мы строим погреб для зимовки пчёл...

Юра будет капитаном

Женя будет лётчиком

— Ну и будь лётчиком, — говорю я. — Не будешь же ты по целым дням на самолёте летать. Полетаешь, полетаешь и домой прилетишь, посмотришь на своих пчёл и опять полетишь куда надо.

— А если на несколько дней понадобится куда-нибудь лететь?

Я разведу в Арктике пчёл...

— Несколько дней пчёлы и без тебя проживут. Они сами о себе могут заботиться. Им не нужна нянька.

— Лётчику-то ещё ничего, — сказал Юра. — Я вот хочу быть матросом или капитаном на пароходе, а пароход как уйдёт в дальнее плавание, чуть ли не на весь год!

— А ты улей поставь на палубе, — говорю я. — Пусть он и стоит себе. Пока плывёшь по морю или по океану, затыкай леток, чтобы пчёлы не разлетелись, а как остановишься у берега, выпускай пчёл, чтоб они на берегу покормились. Вот и хорошо будет.

Так мы разговаривали, и я всем доказал, что каждый может заниматься пчеловодством: и лётчик, и шофёр, и машинист, и шахтёр. А потом

„Дорогие друзья пионеры и школьники! Пишут вам пионеры из колхоза „Ленинский путь". Мы решили напи

я пошёл домой и стал думать, как же мне самому быть. Ведь я уже решил работать в Арктике, а разве в Арктике могут жить пчёлы? Там ведь нет ни цветов, ни деревьев, одни только льды да белые медведи. А потом я подумал, что, наверно, пока я вырасту, люди насадят в Арктике цветов и деревьев, так что и там можно будет разводить пчёл. А если к тому времени не успеют насадить, то я сам насажу, а пока цветы вырастут, буду кормить пчёл сахарным сиропом.

Обязательно разведу в Арктике пчёл!

29 июля

Мы думали, что нам больше не будет писем, а сегодня вдруг снова письмо. Мы с утра пришли на пасеку, только Юра Кусков не пришёл.

Вдруг, смотрим, Юра бежит и размахивает конвертом в руке. Оказывается, он заходил в школу и получил письмо. Мы поскорей распечатали конверт и стали читать письмо вслух. Вот что там было написано:

«Дорогие друзья пионеры и школьники! Пишут вам пионеры из колхоза "Ленинский путь". Мы прочитали про вас в газете и решили написать вам письмо. Дорогие ребята, нам очень совестно, что мы, колхозные пионеры, ещё не устроили у себя пришкольную пасеку, в то время как вы, городские ребята, уже начали эту работу и у вас уже есть улей. Дорогие друзья, мы эту нашу ошибку исправим и уже договорились с колхозом, и колхоз выделяет для нашей школьной пасеки два улья с пчёлами. Так что пасека у нас будет. Но не думайте, дорогие друзья, что мы всё время сидели сложа руки и ничего не делали.

Наш колхоз находится далеко в степи. Природа у нас суровая: зимой трещат невыносимые морозы, дуют метели и надувают столько снегу, что мы даже в школу ходим на лыжах. Летом дуют сильные суховеи, так что всё сохнет и земля от жары трескается. Чтобы победить засуху, наши колхозники насаждают леса.

Мы тоже решили в этом деле помочь родному колхозу и уже собрали шесть мешков отборных желудей для посадки дуба. Мы боремся с вредителями сельского хозяйства — сусликами.

В этом году наш пионерский отряд уничтожил полторы тысячи сусликов и спас от гибели пятнадцать тонн зерна, так как каждый суслик съедает за лето до десяти килограммов зерна. И ещё мы взяли шефство над колхозным телятником. У каждого пионера теперь есть по два подшефных телёнка. Мы следим, как растут и развиваются наши подшефные четвероногие.

При школе у нас есть сад и опытный огород. Все мы работаем в саду и на огороде и добиваемся, чтобы был большой урожай.

Дорогие ребята, мы знаем, что вы в городе тоже работаете — сажаете цветы и деревья, устраиваете сады и парки, а вот теперь, оказывается, даже начали разводить пчёл. И это очень хорошо, дорогие друзья! Давайте ещё лучше будем работать, вы там, а мы здесь, чтобы наша любимая Родина процветала и покрылась зеленью и садами, чтоб всего было много и всему нашему народу жилось хорошо, как учит нас наша партия.

На этом мы кончаем своё письмо. До свиданья, дорогие друзья! К борьбе за дело Коммунистической партии будьте готовы!»

Мы прослушали письмо до конца, и все как один ответили:

— Всегда готовы!

А потом я пошёл домой и стал думать об этом письме. Я долго думал и увидел, что мы, городские ребята, ещё очень мало сделали и нам нужно ещё очень много работать, чтобы сравняться с колхозными пионерами. Мне очень понравилось их письмо, и я решил переписать его в свой дневник на память. И вот я писал, писал — написал всё, что здесь написано, и тут только заметил, что мой дневник кончается и мне негде больше писать.

Ну что ж, когда-нибудь я куплю ещё одну толстую тетрадь и снова буду писать дневник. А сейчас на этом конец.

Писал пионер Коля Синицын.

Писал Коля Синицын

Литературно-художественное издание

Для младшего школьного возраста

КНИГИ – МОИ ДРУЗЬЯ

Носов Николай Николаевич

ДНЕВНИК КОЛИ СИНИЦЫНА

Художник *Ольга Чумакова*

Ответственный редактор *В. Карпова*
Художественный редактор *И. Лапин*
Технический редактор *О. Кистерская*
Компьютерная графика *А. Алексеев*
Корректор *Е. Холявченко*

Издание И.П. Носова
121165, г. Москва, а/я 10

ООО «Издательство «Эксмо»
127299, Москва, ул. Клары Цеткин, д. 18/5. Тел. 411-68-86, 956-39-21.
Home page: **www.eksmo.ru**   E-mail: **info@eksmo.ru**

Өндіруші: «ЭКСМО» АҚБ Баспасы, 127299, Мәскеу, Клара Цеткин көшесі, 18/5 үй.
Тел. 8 (495) 411-68-86, 8 (495) 956-39-21.
Home page: www.eksmo.ru . E-mail: info@eksmo.ru.
Қазақстан Республикасындағы Өкілдігі: «РДЦ-Алматы» ЖШС, Алматы қаласы,
Домбровский көшесі, 3«а», Б литері, 1 кеңсе. Тел.: 8(727) 2 51 59 89,90,91,92,
факс: 8 (727) 251 58 12 ішкі 107; E-mail: RDC-Almaty@eksmo.kz
Қазақстан Республикасының аумағында өнімдер бойынша шағымды Қазақстан
Республикасындағы Өкілдігі қабылдайды: «РДЦ-Алматы» ЖШС,
Алматы қаласы, Домбровский көшесі, 3«а», Б литері, 1 кеңсе.
Өнімдердің жарамдылық мерзімі шектелмеген.

Оптовая торговля книгами «Эксмо»:
ООО «ТД «Эксмо». 142702, Московская обл., Ленинский р-н, г. Видное,
Белокаменное ш., д. 1, многоканальный тел. 411-50-74.
E-mail: **reception@eksmo-sale.ru**
*По вопросам приобретения книг «Эксмо» зарубежными оптовыми
покупателями* обращаться в отдел зарубежных продаж ТД «Эксмо»
E-mail: **international@eksmo-sale.ru**
*International Sales: International wholesale customers should contact
Foreign Sales Department of Trading House «Eksmo» for their orders.*
international@eksmo-sale.ru

Подписано в печать 25.12.2012. Формат 60x90¹/₁₆.
Печать офсетная. Усл. печ. л. 7,0.
Доп. тираж 8000 экз. Заказ 4621

Отпечатано с электронных носителей издательства.
ОАО «Тверской полиграфический комбинат». 170024, г. Тверь, пр-т Ленина, 5.
Телефон: (4822) 44-52-03, 44-50-34, Телефон/факс: (4822) 44-42-15.
Home page – www.tverpk.ru Электронная почта (E-mail) sales@tverpk.ru

ISBN 978-5-699-59663-8